D1234053

Марина
Степнова

странные
женщины

Марина Степнова

Хирург

Роман

РЕДАКЦИЯ
ЕЛЕНЫ ШУБИНОЙ

Издательство
АСТ
Москва

УДК 821.161.1-31
ББК 84(2Рос=Рус)6-44
С79

Художник Виктория Лебедева

Издательство благодарит литературное агентство
"Banke, Goumen & Smirnova" за содействие в приобретении прав

Степнова, Марина Львовна.

С79   Хирург : роман / Марина Степнова. — Москва : Издательство АСТ : Редакция Елены Шубиной, 2021. — 316, [4] с. — (Марина Степнова: странные женщины).

ISBN 978-5-17-126880-0

"Хирург" — ранний роман Марины Степновой, автора книг "Сад", "Женщины Лазаря" (премия "Большая книга"), "Безбожный переулок" и "Где-то под Гроссето".

История гениального пластического хирурга Аркадия Хрипунова переплетена с рассказом о жизни Хасана ибн Саббаха — пророка и основателя государства исмаилитов-низаритов XI века, хозяина неприступной крепости Аламут. Хрипунов изменяет человеческие тела, а значит — и судьбы. Даруя людям новые лица, он видит перед собой просто материал — хрящи да кожу. Ибн Саббах требует беспрекословного повиновения и собственноручно убивает неугодных. Оба чувствуют себя существами высшего порядка, человеческие страсти их не трогают, единственное, что способно поразить избранных Богом, — земная красота…

УДК 821.161.1-31
ББК 84(2Рос=Рус)6-44

ISBN 978-5-17-126880-0

Хрипунову плевать было на людей.
Хрипунов хотел стать Богом.
Что нужно человеку, решившему
стать Богом?
Имя.
Промысл.
Деяние.
Жертва.
Все это было у Хрипунова.
И он стал Богом.
Он. Им. Стал.

Оглавление

Часть первая

Имя

Иглы. Искривленные режущие с тонким лезвием. Искрив-
ленные реверсивные режущие. Полукруглые режущие, сужи-
вающиеся к концу. Сверхизогнутые режущие. Режущие,
суживающиеся к концу "грубые" в виде рыболовного крюч-
ка. Прецизионные, реверсивные режущие изогнутые. Пря-
мые режущие. Троакарные полукруглые "грубые"

Аркадий Хрипунов — это звучало, как будто кто-то раздавил в кулаке грецкие орехи. Хорошо это звучало — Хейман Штейнталь наверняка остался бы доволен, если бы, конечно, хрипуновская мама была способна произнести слово "ономатопоэтическая". Но она, слава богу, была не способна — она родилась счастливой и умерла счастливой, всю жизнь мирно проносив в немудреной крови неведомую генетическую червоточину.

Ей повезло.

Хрипунову — нет.

Вообще-то, хрипуновский папа хотел назвать сына Ванюшкой. Хрипуновская мама не возражала — она была внучкой, дочкой и женой заводских алкоголиков, это, знаете ли, больше, чем психология, — это судьба. И быть бы Хрипунову банальным Иваном, жить в бараке, пить беленькую, загибаться на заводе да укачивать на ночь каменистой ладонью застарелый злой цирроз, если бы не два человека — Аркадий Гайдар и Хасан ибн Саббах.

Про первого хрипуновская мама что-то слышала в школе — но забыла. И не вспомнила бы, если б хрипуновский папа в одно прекрасное утро не взвесил мрачным взглядом неподъемное женино пузо, чреватое будущим наследником, и не пошел в завком — орать и бить кулаком по растрескавшейся полировке крепкого начальственного стола. Завком дрогнул под натиском дистиллированной пролетарской ярости и через месяц одарил ожидающую приплода чету ордером на двухкомнатную темную конуру на первом этаже облезлого дома — купеческой еще, стародавней, окраинной постройки. Именовалось все это великолепие: ул. Дружбы, д. 39, кв. 12.

До Хрипуновых в квартире проживали евреи, вполне советские, мирные, ручные — в микрорайоне ими даже гордились, как местной достопримечательностью, потому как никакой другой экзотики поблизости сыскать было нельзя — а евреи вот они, они всегда под рукой. Местная урла евреев не обижала, но пару раз в месяц аккуратно била им все окна. Не по злобе, а потому что на звездный звон и хруст медленно падающих в ночь стекольных пластов выскакивало из освещенного розового нутра квартиры сразу все еврейское семейство, включая полоумную старуху Марию Исааковну, лет пятьдесят преподававшую в местной СОШ № 5 русскую литературу. И в этом ломком звоне и хрусте, в этих гортанных выкликах, в этом внезапном появлении из света в глухую, лопочущую листвой темноту было столько волшебного, завораживающего, почти театрального, что урла потрясенно замирала в ближайших кустах, ощущая, как сладко и томительно сосет под ложечкой странная, вращающаяся пустота.

Потом бархатный занавес медленно опускался, обдав зрителей тяжелым пыльным вздохом, и урла, слегка стесняясь пережитого катарсиса, вылезала из кустов и враскачечку шла к волшебной квартире — цыкать зубом и принимать от профессионально глухой и профессионально же приветливой Марии Исааковны дежурный стаканчик — мутненький, граненый, в мирное время простодушно служивший еврейскому семейству пристанищем для детских цветных карандашей.

Как же, Марисакна, спасибочки, все помню — "жы" пиши с буквой "ы", "чу" пиши и все такое. И не говорите — скока развелось кругом хулиганья! А Костик-то? Не, все сидит, да... Он бы живо их, того... Ну, в смысле... чё, сёдни будем вставлять или до завтра переможетесь?

Зимой, заметьте, стекла не били никогда. Понимали. Деликатно терпели до весны — одинокие, угрюмые, низкорослые, тоскующие без единственного в мире по-настоящему прекрасного чуда. Алкали душой. Жаждали. Ждали.

Пока не дождались суетливого исхода, деревянных ящиков, чемоданов, неопрятных узлов, которые всё выносили и выносили из подъезда, как будто там, в квартире, был бесконечный морг, который потребовалось срочно освободить к ноябрьским праздникам. И не успела захлопнуться за евреями государственная граница, как в брошенное жилище въехали Хрипуновы.

Квартира, манившая своим кукольным застекольным уютом всю местную шпану, лежала, вскрытая, как разоренный курган, жалко выставившая на всеобщий обзор вспоротое брюхо и предсмертно перемешанные культурные слои. Рассохшиеся доисторические резинки, стискивавшие чьи-то выпуклые пахучие ляжки, очёски седых скрипучих волос, накрест схваченные бечевкой, пачки школьных тетрадей, молоток, еще столетие назад потерявший деревянную ручку, какие-то ломкие от старости облигации довоенного займа, изувеченные игрушки и даже не пожелавшая эмигрировать мельхиоровая ложечка, дальновидно шмыгнувшая под плинтус, откуда ее ловко извлек веселый грузчик, нанятый Хрипуновым заносить шкаф и буфет. Извлек и с профессиональной ловкостью уронил в карман, мимоходом вытирая о штаны пыльные пальцы: грязно оказалось у евреев, просто тихий ужас, настоящий свинарник, и видно, что не потому грязно, что укладывались, а потому, что сроду не убирались по-человечески. Ни разу за все свои шесть тысяч лет.

Хрипуновский папа мрачно матерился, наддавая плечом, надсаживаясь, вставляя в простенок продавленный супружеский диван (когда-то красный, теперь просто потертый до цвета благородного бордо), на котором был в свое время зачат по пьяному шалому делу маленький Хрипунов, на который маленький же Хрипунов перебрался, когда перерос свою детскую зарешеченную кроватку, и на котором — спустя энное количество лет — хрипуновскому папе предстояло умереть. От цирроза, разумеется. А от чего еще умирают простые русские люди?

Всех глухо злила эта годами пластовавшаяся грязь, эта изнанка чужой, неинтересной жизни — и хрипуновского папу, и грузчика, и хрипуновскую старенькую мебель, не желавшую втискиваться в непривычное пространство, пропитанное ароматами неопрятной старости и просроченных специй. Даже маленький Хрипунов изнутри толкал негодующей ногой красную, до звона натянутую стенку матки.

И только хрипуновская мама, придерживая двумя руками тугое, выпуклое, байковое пузо, бродила среди осиротевших вещей с плывущим от умиления лицом и изумленно таращилась выпученным пупком то на выпотрошенную, зияющую малиново-бархатным нутром готовальню, то на валяющуюся на полу детгизовскую книжку, вполне крепенькую, лишь чуть, самую малость, потрепанную по обшлагам.

"Аркадий Гайдар, «Голубая чашка»" — она не спеша проехалась взглядом по названию, непроизвольно пришептывая (как будто помогая себе читать) большими мягкими губами, размытыми по краям полноценной беременностью. И так же не спеша присела, крепко расставив круглые голые колени и удобно свесив между них основательный живот, — поднять занятую книжицу и припрятать от мужа, чтобы потом, когда маленький родится и немного подрастет, читать ему вечером, водя по строчкам сморщенным от только что вымытой посуды пальцем и ощущая, как мягко уперлась в бок головенка прикорнувшего под мышкой сонного детеныша. И в доме пахнет пирогом с капустой и картошкой-пюре (на молоке и на сливочном масле), а от детских волос — даже сквозь теплые кухонные запахи — доносится отчетливый аромат солнца и теплых птичьих гнезд. Запах, который лучше любой метрики скажет женщине, что ребенку еще не исполнилось пяти лет. И что он пока весь-весь — от завитка на макушке до аппетитной складочки под жирными ягодичками — мамин. Мамина игрушка.

Распрямиться она не успела, маленький Хрипунов еще раз с размаху ударил ее ногой в живот, да так ловко, что сам перевернулся в своем круглом пристанище и, зависнув на мгновение вниз головой, почувствовал, как привычный ало-черный мир испуганно вздрогнул, словно сдвинулись какие-то невиданные тектонические пласты, и вдруг начал ритмично пульсировать и сложно содрогаться. И с каждой волнистой судорогой, с каждой мощной спазмой к Хрипунову начал снизу приближаться странный бледный свет, похожий на воронку, все быстрее вращающуюся то посолонь, то против, так что в момент внезапной смены противотока казалось, что это не воронка даже, а бешено вращающиеся винтовые ножи, вроде тех, что стоят в огромных, промышленных, электрических мясорубках.

Хрипунов попытался уклониться от этого света, натужно упираясь руками и ногами в крупно дрожащие стены, но свет нажимал, и Хрипунов обреченно обмяк и зажмурился, чтобы не видеть, как наливается желтым глаз приближающегося апокалипсиса и как спешит к выходу немолодой, кривоногий, коренастый ангел с неясным, но очевидно азиатским лицом, что-то торопливо дожевывая на ходу и вытирая о затуманенные, покрытые мельчайшей изморосью крылья крепкие узловатые пальцы — те самые персты, которыми следовало замкнуть измученному новорожденному всезнающие уста.

Иглы. Полукруглые колющие. Колющие "грубые" Мэйо. Изогнутые колющие. Колющие изогнутые на 5/8 окружности. Прямые колющие. Изогнутые с тупым концом

Хрипунов-папа и заметно сбледнувший с лица веселый грузчик выволокли из квартиры мычащую от боли хрипунов-скую маму — торопливо, но плавно, словно несли футляр от контрабаса, неуклюжий, неподъемный, но скрывающий внутри нечто бессмысленное, хрупкое и, по слухам, страшно дорогое. Мебельный фургон — слава-те! — никуда не делся, стоял на углу. Шофер, немолодой мужик с простым картофельным лицом, терпеливо спал в кабине, закинув храпящую, клокочущую пасть и уронив на руль набрякшие руки. От барабанного стука в дверь он немедленно пробудился и с готовностью включился в бессмысленную суету вокруг роженицы, которая, повиснув на руках у двух растерянных, потных мужиков, вдруг поджала колени и начала сложно и мучительно сокращаться — будто гигантская креветка или гусеница, к которой поднесли бесцветный, дневной, спичечный огонек.

Шофер, движимый мужским ужасом и могучей силой профессиональной инерции, попытался было затолкать хрипуновскую маму в фургонную, хлопающую брезентом тьму, но, ловко обложенный с двух сторон хуями, сменил направление; и втроем, крякая и сопя (грузчик и Хрипунов-старший по бокам, причитающий шофер с тылу), они таки вставили хрипуновскую маму в кабину и, еще пару минут бестолково побегав вокруг фургона, с места на второй передаче рванули в роддом.

В дороге хрипуновскую маму немного отпустило, и она даже поулыбалась виновато, пытаясь устроиться поудобнее и тыкаясь толстыми глуповатыми коленками в тесную приборную доску, щедро разукрашенную аляповатыми овалами переводных германских девушек с роскошным оскалом и ухоженными, несоветскими волосами. Взмокший шофер с сосредоточенной яростью крутил выпрыгивавший из рук руль и автоматически, как мантру, бормотал — ты, того, дочка, того, дочка, того... — изредка с брезгливым и жадным любопытством косясь на хрипуновскую маму, словно на полураздавленную колесом издыхающую кошку.

Перед самым роддомом машину тряхнуло на колдобине так, что взвинченный шофер громко, как зевнувшая дворняга, лязгнул зубами, а в фургоне, гремя

локтями и дружно покрывая яростным ёбом всю
родную советскую власть, посыпались друг на друга
Хрипунов-старший и грузчик. Хрипуновская мама,
совсем было успокоившаяся и даже повеселевшая,
почувствовала, как судорога, задремавшая внизу ее
осевшего, как весенний сугроб, живота, проснулась
и с новой хищной силой вцепилась в позвоночник.
Поскорей бы, дяденька, проскулила она, не дотерплю, ей-бо, не дотерплю... И тут новый спазм рванул
изнутри ее намученное тело, рванул — и прямо
сквозь белые просторные трусы выдавил на пол уни-
зительно теплую неостановимую струю.

В обитель материнства хрипуновская мама приехала с плавающими от эйфорической боли зрачка-
ми и долго не могла понять молоденькую раздражен-
ную врачиху, которая твердила что-то про амниоти-
ческую жидкость. "Да воды у тебя отошли или нет,
господи ты боже мой!" — взорвалась наконец док-
торша и, услышав, что — да, отошли, еще в машине,
и что водителю пришлось дать за это целый рупь,
потеряла к хрипуновской маме всякий научный
и медицинский интерес, спихнув ее на руки толстой
медсестре в потрескивающем на тугих боках белом
халате.

Медсестра, веселая разбитная жлобовка, провор-
но повлекла хрипуновскую маму по всем кругам
роддомного конвейерного ада — клизма, бритье
лобка, душ, праздник переодевания в линялую со-
рочку с больничным клеймом, — и все это с прибаут-
ками, хиханьками и садистским, вполне палаческим
матерком. Хрипуновская мама, поминутно вытирая

мокрый ледяной лоб, бормотала — та я сама, я сама все — и натужно улыбалась: медсестру никак нельзя было злить, она могла подменить ребеночка, подсунуть какого-нибудь с кривыми ножками и заячьей губой, а то уронить маленького на кафельный пол, а потом сказать, что такой родился, — соседки говорили, в роддоме еще не такое вытворяют.

В разгар всеобщего веселья в дверь процедурной заглянула акушерка — с целью пригласить толстую медсестру на бизнес-ланч, состоящий из чая с рафинадом и загорелых баранок. А что? В двенадцать часов в роддоме все пили чай — чего тут такого? Наличие кряхтящей от муки Хрипуновой акушерку огорчило, но не слишком. Она сама была трижды мамаша Советского Союза и потому знала: рожать — дело хоть и добровольное, но тягомотно долгое. Иную первородящую распинало и корежило на дыбе высоких материнских чувств часов этак по двадцать с лишним. А ежели первородок десять? Да еще три палаты пузатых клуш на сохранении? Нет, ежели из-за каждой трёсом исходиться, не то что чая не попьешь — на двор поссать выскочить будет некогда. Потому акушерка изобразила губами нечто вроде медного гонга, зовущего гостей к праздничному столу.

— Ща, — радостно откликнулась медсестра, девка холостая, нерожавшая, а потому относившаяся к бабьим страданиям с замечательно-профессиональным равнодушием. — Йодом ей тута намажу. А то мало ли... Давай, растопыривайся, мамаша. Покажь, бля, свои родовые пути.

Соскучившаяся ждать акушерка подтянулась поближе и с ленивым, чуть брезгливым любопытством заглянула в свежевыбритую, расцарапанную промежность хрипуновской мамы. Оттуда на нее, прямо сквозь цианозное, напряженное, больное и воспаленное даже на вид, смотрел кусочек пульсирующей макушки, покрытый слизью и длинными, как водоросли, липкими волосиками.

— Офуела... — сразу севшим шерстяным голосом прошептала акушерка, завороженно глядя на кровавое таинство, — совсем офуела... — И, с места взяв верхнюю октаву, заорала: — Какой, нахер, йод! Головка прорезывается! Она рожает давно, а ты, бля, со своим йодом!

И обмякшую Хрипунову, собирая трубными криками бригаду и распугивая блуждающих по коридору животастых рожениц, в очередной раз то волоком, то под руки потащили в родзал.

До полудня оставалось всего ничего. Каких-то двенадцать минут и семь секунд.

Врач, дородная, с мелко плоёным перманентом и невиданными в те скромные годы золотыми сережками (между прочим, супруга главного инженера), хоть и принадлежала к самым заоблачным высям феремовской элиты, но — по природе своей — тетка была невредная.

— А ну тужься! — скомандовала она добродушно, как только хрипуновскую маму кое-как прикрутили к родовому столу и придали ей надлежащую позу. — Тужься давай. Это как это — не уме-э-эю... Какать умеешь? Значит, справишься...

Врач повернулась к акушерке и негромко спросила:

— Клизму хоть успели? Это хорошо... А на приеме кто должен был смотреть? Курочкина? Пусть ко мне зайдет перед уходом. Я ей, паршивке, головенку-то быстро на место поправлю...

И она снова сдобно загудела, теребя хрипуновскую маму, трогая ее то за разведенные колени, то за жилочку, живущую на запястье, и потихоньку уводя ее этими ненужными, в общем-то, касаниями, этим грудным бессмысленным разговором от смерти, до отказа наполнившей барабанный беременный живот. И прямо из этой смерти, из беспросветного провала, разрывая тоненькую плотскую перемычку, торопливо, по частям продвигая на разведку то темя, то плечико, появлялся ребенок. Самый настоящий. Красный, сморщенный, липкий. Живой.

— Ты что же, мать моя, так торопишься — прямо как кошка, честное слово. И не орала совсем. Неужто не больно? Больно? Так чего молчишь? Крикни хорошенько. Муж-то есть? Видишь, как хорошо: у других нету, а у тебя и муж, и дите вон какое лезет... Зовут-то как? Таня... А мужа? Вот и крикни, Татьяна, чтоб Вова твой услышал. Давай вместе — на выдохе — ВовА-А-А!!!

Хрипуновская мама шевельнула засохшим ртом, но крика не получилось, лампы, заливающие болью лицо, то приближались, опаляя нездешним жаром, то снова освобожденно взмывали к потолку, и тогда становилось еще больнее, просто дико больно, нестерпимо, и все равно нельзя было кричать. Не выходило. Никак.

— Все, не тужься больше. Не смей! Просто ды-
ши, — вдруг рявкнула испуганно врач, хлопоча руками, но обезумевшая хрипуновская мама уже ничего
не слышала, дугой выгнувшись под напором сокрушительной муки. Что-то между ее распяленных ног
захрустело, будто рвущееся сырое полотно, боль,
скрутившись тугой огненной спиралью, вдруг стала
видимой, как свет — ослепительный конус черного,
кипящего света, пронзивший макушку новорожденного младенца и достигший глубин неба.

— Мальчик, — сказал за правым плечом утроб-
ный незнакомый голос, и хрипуновская мама вдруг
увидела потрепанную детскую книжку с черными
шершавыми буквами на обложке — "Аркадий Гайдар", — и тут все затянуло легчайшей, нежной, неве-
сомой мутью, боль отхлынула, и на смену ей пришло
лицо — безмятежное, странное и такое огромное —
во весь потолок, во весь мир, во все небо, — что хрипуновская мама даже не поняла, мужское оно или
женское.

— Мальчик, — повторил жирный, круглый голос. — Двадцать второе августа. Полдень.

Девятисотлетний круг замкнулся, выцветший песок на аламутских камнях крутануло обратной —
противосолонь — спиралью, и хрипуновская мама
облегченно потеряла сознание.

*Скальпели. Общехирургические. Специальные. Цельно-
штампованные — остроконечные и брюшистые. Большие. Средние. Малые. Скальпели со съемными лезвиями —
остроконечные, брюшистые и радиусные*

Наутро в палату к опустевшим и сдув-
шимся, словно дирижабли, родильни-
цам прикатили тележку, на которой
вповалку — как поленья — лежали
перепеленутые орущие свертки. Не
орал только маленький Хрипунов. Желтый, отечный
и невероятный, как все младенцы, он терпеливо
позволил матери взять себя в руки, терпеливо при-
строился к шершавому коричневому соску и, пару
раз глотнув вхолостую, терпеливо принялся завтра-
кать, отдуваясь, передыхая и изредка взглядывая на
нависшую над ним бело-голубую громаду груди при-
пухшими мутными глазками.

Хрипуновская мама притихла, ожидая наплыва животной любви к новорожденному детенышу, но наплыва не было — было только острое и немножко брезгливое любопытство, как будто она снова была маленькая и снова подглядывала, как мать, глухо матерясь, топит в ведре выводок голых, копошащихся, немножко даже полупрозрачных мышат. Хрипунов мгновенно уловил волну первой в своей жизни неприязни, но опять смолчал, не стал отвлекаться, только выдул краем пустого, беззубого рта мутный молочный пузырь — не то для того, чтобы задобрить напрягшийся и поскучневший мир, не то для собственного развлечения.

Хрипуновская мама движением, которое немедленно стало машинальным, промокнула сыну крошечные губешки и принялась тайком рассматривать его, оглядывать, прикидывать, что-то такое внутри себя соображать, как будто стоя перед прилавком и выгадывая, хватит ли куска желто-красной говядины, которую ловко вертит в руках равнодушный мясник, и на котлеты, и на щи и не окажется ли приглядный шмат дома ловко сложенным куском старого жира и натруженных воловьих жил. Она даже тихонько растормошила роддомовскую пеленку и пересчитала мизерные пальчики — разы-два-три-ой-разы-два-три-четыре-слава-те — по десять. На ручках и на ножках. И писюн на месте. И глазики, и нос, и заклеенный пластырем пуп. Но неприятное чувство все равно тихонько посасывало душу, иногда чувствительно прихватывая зубом какой-то нежный уголок, и тогда хотелось, взвизгнув, растолкать очередь крепкими

Марина Степнова. Хирург

локтями и с торжествующим воплем кинуть подтухший, бракованный сверток прямо в наглую морду продавца. Прямо в морду! Только кто же возьмет-то назад... Да еще без чека...

Хрипуновская мама тихонечко вздохнула и снова принялась разглядывать сына. Мальчишечка, вообще-то, получился ничего, уговаривала она себя саму, приглядный даже. Эка, лохматый только какой — прямо как не грудной. И правда, Хрипунов родился с длинной чернявой челкой и тремя аккуратными складочками на толстом желтом лбу. Складки были сложены в правильный треугольник вершиной вверх и придавали крошечному лицу какое-то странное выражение... Неприятно осмысленное, что ли... Ну, как если бы в комнату вдруг вошла кошка, обычная домашняя Мурка с пятнами и зигзагами на серых боках, и, сузив презрительные глазищи, вежливым, чуть дрожащим от раздражения голосом попросила сделать, в конце концов, чертов *DVD* хоть немножко потише.

Узлы. Обычный (простой) хирургический узел. Завязывание под натяжением. Инструментальные узлы

Ч естно говоря, хрипуновская мама и сама толком не знала, зачем ей так нужен живой ребенок и чего она так тягуче тосковала и томилась, когда маленький все никак не хотел завязываться.

Это не была биологическая программа, та самая, которая превращает каждую вторую женщину от восемнадцати до двадцати пяти лет в ходячую яйцеклетку, безмозгло и жадно ждущую оплодотворения. Потому что никакого желания репродуцировать, выкармливать, тискать и холить крошечное младенческое тельце или хотя бы просто покрасоваться на улице с коляской хрипуновская мама не испытывала никогда. Мало того, чужие круглощекие младенцы тоже оставляли ее совершенно равнодушной, и когда ее ровесницы, получив мощный пинок покровительственного инстинкта, скопом накидывались на чьего-нибудь визжащего и отбивающегося малыша, хрипуновская мама спокойно стояла в сторонке, и синенький скромный платочек в ее руках вел себя на удивление смирно. Ни пьянящий аромат зассанных колготок, ни липкие от потеков грязи диатезные мордочки, ни камлание над первым молочным зубком не волновали ее маленькую непроницаемую душу. Детей она не любила.

С другой стороны, не было в ее томлении по собственному плоду и ничего стайного, или, мудрено выражаясь, социального. Хотя неписаный закон Большой демографии гласил, что каждой женатой паре положено воспроизвесть дите, да лучше не одно, потому как страна нуждается в том, том, этом и этом. И кто-то это все — то, то, это и это — обязан производить, а потом потреблять и снова производить, чтобы имперский маховик продолжал пугать и радовать мир своей угрожающей и мощной бесперебойностью. Это не то чтобы кем-то декларировалось, просто было в крови. И на холостых потому смотрели осуждающе: ить, Петруха, все никак не остепениси. Смотри, не женишься — сядешь! А на бесплодных — и вовсе с жалостной брезгливостью. Как на больных дурной, пакостной и — не ровен час! — заразной болезнью.

Но хрипуновская мама была, слава богу, достаточно глупа, чтобы не вникать в мудрености народно-государственной демографии. А Хрипунову-старшему было насрать в три вилюшки на народ, партию и правительство, вместе взятые. И когда на заводе гугнивый Лешка Воропаев как-то раз Хрипунова-старшего подъебнул — что, мол, не могешь, Вован, вдуть своей Таньке как следует наследника? Больной, что ли? Так давай я подмогну! — Хрипунов-старший двумя сокрушительными плюхами доказал, что нет — здоровый. Сам справится, если что. И заводские послушно заткнулись, перенеся возбудительные беседы в кулуары и будуары, потому как Хрипунов-старший всегда был парень крепкий: в перерыв спокойно съедал поллитру и потом до конца смены лихо ворочал ящики, багровея вздувшейся шеей да изредка отдуваясь.

Конечно, можно романтично предположить, что хрипуновская мама просто любила хрипуновского папу и потому желала увековечить это и без того бессмертное чувство в виде визгливого пакета, перепоясанного розовой или голубой лентой. Так сказать — воплотить любовь в прямом смысле этого слова. Но что, что, скажите на милость, могла знать о любви хрипуновская мама? А сам старший Хрипунов? А тысячи, миллионы им подобных — все эти толпы с лицами, наспех вылепленными из хлебного мякиша, и крошечным зародышем души, едва пульсирующим в области желудочно-кишечного тракта? Что им было в этих абсолютно неэргономичных и утомительных исканиях и порывах, в этом надуманном самоуничтожении одной личности ради другой, еще более ни в чем не повинной?

А Хрипунов... Хрипунов хотел стать Богом. Он вообще не имел права любить.

Потому оставим в покое любовь. Тем более что в тысяча девятьсот пятьдесят девятом году всем было и вовсе уже не до нее. Кубинский народ праздновал освобождение от диктатуры Батисты (как же звали бедолагу? Ах да — Фульхенсио!). Аляска стала сорок девятым штатом США и тоже на радостях упилась до упаду. Советский Союз, впрочем, не отставал и, в свою очередь, ликовал — официально, ибо внеочередной XXI съезд КПСС объявил о полной и окончательной победе социализма в одной отдельно взятой стране, и неофициально, потому как наша сборная по футболу на первом кубке Европы сделала и чехов, и венгров, и невесть как затесавшийся в Европу Пекин. Правда, с китайцами и чехами матч был товарищеский, зато венграм в одной восьмой финала вломили 1:0, — помните, как Юрочка Воинов на пятьдесят девятой минуте размочил счет, заставив свой многомиллионный народ, взревев, приникнуть к радиоточкам? Но Воинов что. Вот Яшина Льва Ивановича, конечно, боготворили — это да.

Еще в пятьдесят девятом Хрущев посетил Америку (результат — царица полей кукуруза), тайфун Вера — Японию (результат — 5000 трупов), в иноземных магазинах появилась кукла по имени Барби, а Хрипунов-старший пришел из армии. Так сказать, освободился с чистой совестью.

В родимом совхозе "Двадцать лет без урожая" (он, кстати, существует до сих пор — и до сих пор перед центральной усадьбой этого совхоза разворачивается "лиазик", пыхтящий по маршруту с романтическим названием "Ясиновая", и кондуктор прямо так и объявляет гундосым голосом: "Двадцать лет без урожая"; впрочем, нынче это просто маршрут № 6, но он ведь существует, имеется до сих пор, как до сих пор существует сам Феремов, что и вовсе уже волнующе, странно и невероятно), так вот — в родимом совхозе Хрипунову-старшему сдержанно обрадовались и даже что-то такое предложили — по части работы и, заметьте, по жилищной линии. Но свежеиспеченный дембель не обольстился, искушение богатством выдержал, зато сломался на сортире. Да, на сортире — на теплом армейском сортире, с коричневой гармоникой батареи парового отопления, кафельной плиткой на полу и стройной шеренгой чугунных ребристых подошв, на которых и полагалось раскорячиваться над отверстым канализационным жерлом. Такой сортир был в казарме Хрипунова-старшего, и такого сортира не было в совхозе "Двадцать лет без урожая". Не было и в ближайшую тысячелетку не ожидалось.

С раблезианским простодушием мочиться прямо с крыльца, а зимой мучить прямую кишку в ледяном дощатом нужнике, похожем на поставленный на попа дешевый гроб, Хрипунов больше не желал. А потому отправился — в поисках утраченного счастья — по тому самому маршруту "Ясиновая". Покорять город Феремов, серьезную административную единицу, сорок тысяч жителей, ДК "Октябрьский", два кинотеатра, пять школ, завод по производству искусственного каучука.

На завод Хрипунова-старшего, такого из себя молодого рослого армейца двадцати одного года от роду, взяли мигом — и еще бы не взяли. Пятилетку тогда положено было сляпывать ударно — за три года, а кому было ляпать, если даже на предельных мощностях работающая советская пенитенциарная система не справлялась с растущими потребностями поколения, которому пообещали прижизненный коммунизм. Ожерелье "химических" зон, нежно стискивающее феремовскую шею, не поспевало за поставленными партией и правительством высокими задачами. Поколение гнало вооружение с тем же ожесточенным пылом, с которым вечерами, уже на личное благо, гнало мутный низкооктановый самогон. Стране позарез нужны были ракеты, танки и самолеты. Ракетам, танкам и самолетам позарез требовались сальники, прокладки, манжеты, уплотнители, шины и прочая технологическая составляющая. Сделать все можно было только из искусственного каучука. Но делать было некому.

Зэков-химиков элементарно не хватало, феремовские работяги *en masse* задницу себе понапрасну не рвали — ты нам, начальник, сверхурочные сперва оплати, а мы подумаем, — а те, которые рвали, быстро помирали. Впрочем, как ни крути, довольно быстро помирали все: химическое все же производство, тяжелая промышленность I–II класса вредности, да. Тут никакие надбавки не помогут.

Посему заводской кадровик самолично пожал Хрипунову-старшему костистую лапу, заверил насчет общежития и предложил немедленно, прямо не сходя с этого места, вступить в КПСС. Для начала, знамо дело, кандидатом. Потому как пролетариат является идейной направляющей...

— Сортир в общаге есть? — грубо перебил Хрипунов-старший.

— Чего? — поперхнулся кадровик, мигом утратив номенклатурный лоск и превратившись в обычного полудеревенского мужика в дурацком галстуке на перекрученной потной резинке — лопоухого, тощего и, совершенно очевидно, неграмотного. — Какой сортир?

— Теплый. Я в холодную сральню ходить не буду, — стоял на своем Хрипунов-старший, старательно стискивая зубы, чтобы на скулах появились желваки — мужественные, как у старшины роты товарища Сергеенко, который за три армейских года исчерпывающе объяснил вверенному ему составу, что это такое — родину любить.

— В общежитии созданы все необходимые условия... — Кадровик, тряхнув головой, как после хорошего прямого в челюсть, пришел в себя и попытался установить патефонную иглу на ту же привычную пластинку.

— Ясно, — отрезал старший Хрипунов. — А жилье когда отдельное дадут? Ну, квартиру?

— Да ты женись сперва, сосок свинячий! — не выдержал наконец кадровик, и шея его медленно налилась углекислой кровью. — Ты смотри, права тут еще качает, говна кусок! Да мы за вас в войну... Да я таких на фронте...

— Жениться надо — женюсь. А войной вы меня не пугайте, у нас мир давно. Во всем мире. Нам так замполит в армии говорил. Между прочим — майор, — негромко, но грубо перебил Хрипунов-старший, который песню про фронт, говно и победу

34

знал наизусть с тысяча девятьсот сорок шестого года. С восьми своих годочков то бишь. Уж наслушался от родного папаньки, слава богу.

И, оставив ошарашенного кадровика хватать воздух раззявленным ртом, Хрипунов-старший, громыхнув запястьями, торчащими из тесного, доармейского еще, полудетского пиджачка, удалился в свое беспросветное будущее.

Редкая муха успевала пролететь между хрипуновским "захотел" и хрипуновским же "сделал". В полноценный химический ад, где среди ядовитых миазмов и шипящих котлов медленно шаркали тени в респираторах и огромных сапогах, он предусмотрительно не пошел — потому как наивно, но сильно хотел жить, и чтоб жена, и горячий ужин, и теплый сортир. Потому, едва освоившись в своем экспедиционном цеху, где вовсю гремели ящиками и транспортерами, старший Хрипунов зачастил в ДК "Октябрьский", где по субботам трудящимся крутили важнейшее из искусств и можно было всласть нажраться в буфете и всласть же поплясать.

Супруга образовалась практически сразу: подошла в персрыве сама, пухленькая, вкусно выпирающая из модного крепдешинового платья (рукавчики фонариком, вытачки в талию, пышная юбка солнце-клеш). Посмотрела снизу — Хрипунов-старший был в ту пору длинный, дикий и грубый, как остевой волос, — и тоненько спросила: хочете потанцевать? Хрипунов, если честно, больше хотел выпить, потому как танцевать решительно не умел, но... Но жениться было совершенно необходимо.

Он честно оттоптал пригласившей его красоточке кукольного размера босоножки на танкетке ("Тя как зовут?" — "Таня. А вас?" — "Вова. Володя в смысле"), а заодно и белые носочки, тесно стягивавшие толстенькие бутылочные щиколотки. Выпить она тоже согласилась — с легким рассыпчатым хохотком — и с тем же охотным хохотком пошла за старшим Хрипуновым под лестницу, в тесный закут, где дэкашные уборщицы хранили швабры и закисшие коричневые тряпки. И там, в ароматном романтическом полумраке, среди громыхающих ведер и дряхлого инвентаря, обнаружилось, что будущая Хрипунова под платьем вся нежная, жирная, вздыхающая и живая, как округлый комок доспевшего дрожжевого теста, присыпанного сверху россыпью крошечных родинок — как будто тоненько молотой свежей корицей. У нее была изумительная тень — юная, предельно кинематографичная и необыкновенно хорошенькая: с выпуклыми ресницами, аккуратным носиком и замечательным, легким нравом — жаль, что никто так и не заметил этого, никто за целую жизнь.

А тогда, в подсобке, в самый ответственный момент, когда счастье, с трудом протиснувшись сквозь переломанные швабры и метлы, осенило соединившуюся пару своим порядком запыленным крылом, тень, зажав рот ладошками, радостно пискнула, Хрипунов-старший в последний раз дернул лохматыми ягодицами, и будущая мадам Хрипунова тотчас села, оправляя свой роскошно шумящий крепдешин и улыбаясь сладкими, как пьяные вишни, глазками. Вот глазки — да, странные у нее были глазки — непроницаемые, влажные, чересчур быстрые, — такие, что за ртутным их, жидким блеском иной раз было и не уследить. Да и некоторая раскосость — не сказать крылатость, артистичный, необычный, редкий разрез, когда верхний уголок глаза игриво и загадочно приподнимается к виску... Тут не кивнешь головой на татаро-монгольское иго, японцы называют такие глаза "глазами феникса" и сулят их обладателю изысканную утонченность натуры, хотя — ха! — откуда бы взяться в Феремовс японцам и что бы делала с изысканной утонченностью молоденькая поваришка с заводской столовой, дочка Иваныча, наладчика из третьего цеха, миловидная дурочка с игривыми ямками на сдобных плечах.

Но все равно, странные были глаза. Очень странные. Не такие глаза должны быть у женщины, за спиной которой молчаливо толпились сотни поколений скучных, тихих землепашцев, на скорую руку слепанных из кислого теста и безнадежной золы. Пожалуй, единственный, кто, заглянув в эти глаза, смог бы понять хоть что-то, был Хасан ибн Саббах.

Но Хасан ибн Саббах умер в 1124 году. Умер, и даже прах, в который превратились его кости, давным-давно переварило время.

Хирургические ножи. Ампутационный. Большой и малый. Резекционный. Прямой и брюшистый. Нож хрящевой. Нож мозговой

Много глупого и дрянного говорили про Хасана ибн Саббаха. Еще больше глупого и дрянного говорят сейчас. А Хасан ибн Саббах был обычный человек — не Старец Горы и не исчадие ада. Обычный человек, просто Бог (ибн Саббах привык называть его Аллахом) зачем-то избрал ибн Саббаха и его дом, жен его и его детей и не отводил от них своего раскаленного всевидящего ока, так что даже во сне ибн Саббах чувствовал, как горит и выгибается его темя под тяжестью стянутого в огромный луч черного, невидимого света. И когда луч этот начинал пульсировать и шептать ибн Саббаху в уши высоким нездешним голосом, Хасан ибн

Саббах вставал и шел убивать. Всех. Каждого. Так что убитых невозможно сосчитать до сих пор.

Родился Хасан ибн Саббах в месяце Абанн 402 года солнечной хиджры (1024 год по григорианскому календарю) и до семнадцати лет прожил в Рейе — шумном персидском городе, полном неистовых торговцев, откровенных сумасшедших и густого смрада — хуже, чем в Персии, тогда воняло только в Европе. По рождению и воспитанию он был шиитом-дюженником, что бы теперь (и тогда) ни означало это слово. И должно быть, умер бы смиренным шиитом все в той же Рейе, если бы не ремесленник-чеканщик, тощий безымянный человечек, который в одно пылающее базарное утро взял Хасана за молодое костлявое плечо и ввел его в причудливый, изысканный мир исмаилизма.

Это было волшебное время — время семи небес, семи земель и семи планет, семи цветов, семи металлов и семи звуков. И конечно же, семи лучших созданий Аллаха — первым из которых был Али, а последним — Исмаэль. "А еще существует число двенадцать, — жарко бормотал чеканщик, сгорбившись в своей крошечной лавке, — двенадцать небесных знаков, двенадцать месяцев и двенадцать сочленений на четырех пальцах каждой руки, кроме большого... "

И медь взвизгивала под его канфарником, как живая.

Потом настало время вопросов. Ибн Саббах заплевал лавку своими бесчисленными почему, но чеканщик только качал головой, блестя воловьими глазами, он был обычным городским сумасшедшим, самым низшим даи* — дневным. И когда Хасан уже отчаялся насытить тяжело ворочавшуюся за грудиной душу, чеканщик привел его к своему соседу — шумному шорнику по имени Бу Наджим.

Наджим угощал мальчишку жирной бараниной и горячим чаем ("Никогда не запивай баранину ледяной водой, сынок!" — Разве Аллах запретил это, досточтимый? Запретил бы, Хасан, непременно запретил бы, знай он, как от этого скручивает кишки!), Наджим чесал быстрыми пальцами редкую бороденку, ловко выщелкивая ленивых вшей, Наджим смеялся, вкусно шлепая мокрыми красными губами. Он знал ответы на все вопросы, даже на те, которые ибн Саббах не догадался задать. Но не ответил ни на один. Только дразнил, намекал, переходя с хохота на шепот, с хрипа на крик. И все пересыпал, пересыпал свою хитроумную, узорчатую, сыромятную речь сурами из Корана, но так, что Хасан только вертел головой, понимая, что вот секундочка, секундочка — и, между двумя глотками горького чая, ему откроется истина. Но истина все не открывалась, как в танце семи покрывал, когда бешено извивающаяся плясунья все скидывает и скидывает с себя витки прозрачной бесшумной ткани, так что кажется, еще одно движение — и жадные зрители увидят крепкие, коричневые, блестящие от пота ягодицы, но ничего не происходит, лишь мелькает сквозь тонкий шелк и жаркое вращение смуглая тень вожделенной таинственной плоти.

---

* Даи — проповедник; тот, кто призывает принять ислам.

И только когда Хасан ибн Саббах смиренно понял, что не понимает ничего, старый ночной даи Бу Наджим удовлетворенно погладил его по склоненной голове и решительно каркнул — в Каир, в Каир, в Каир!

Все тайны мира обитали тогда в Каире — и каждый мог припасть к источнику, из которого, драгоценно мерцая и прихотливо перемешиваясь, били золотые струи чистейшего гностицизма и тихого христианства да текли темные воды каббалы, такие жуткие и горькие, что в них не отражалось ничего — даже Бог. В Каире Хасан ибн Саббах стал взрослым. И прошел девять ступеней бахира, девять шагов, отделяющих простого смертного от вечности.

Если честно, первую ступень — ступень сомнения в мире и доверия к учителю — Хасан прошел еще в Рейе. В Каире с него просто взяли клятву повиновения, клятву, скрепленную прахом и кровью.

Вторая ступень была ступенью имамов, источников всякого знания на земле.

Третья прояснила бредовый шепот чеканщика, ибо число семь оказалось шифром подлунной жизни и тайным числом имамов.

На четвертой ступени Хасана ждали семь законодателей, семь наместников — имя их было натик, "говорящие". И каждому из них в помощь Аллах дал по семь помощников, по семь безмолвных теней — имя их было асас, "немые".

На пятой ступени теснились двенадцать апостолов — семь раз по двенадцать. Они служили помощникам и несли в мир тайну, открытую асасам.

На шестой ступени умер Коран, и Хасан ибн Саббах, содрогнувшись, открыл новую странную книгу, шелестящую тихими именами.

На седьмой ступени ему сказали, что Бог — это всё кругом.

На восьмой оказалось, что это правда.

И в тот день, когда Хасану ибн Саббаху, побледневшему, осунувшемуся, с навеки горько и жестко сложенным ртом, позволили ступить на девятую, последнюю ступень, тугой столп искаженного света опустился на землю и как перстом уперся в голову нового наместника Аллаха на земле.

Пилы. Пила анатомическая дуговая. Пила для разреза-
ния гипсовых повязок. Листовая с металлической ручкой.
Пила ножевая. Пила носовая Воячека. Проволочная ви-
тая. Пила рамочная. Перфоратор копьеобразный. Пер-
форатор нейрохирургический

О н вернулся домой, в Рейю, чтобы пере-
вернуть Персию вверх дном. Это оказалось до смешного просто: надо было
всего лишь, не задумываясь, слушать
голос, пришедший вместе со светом,
и знать, что все, кто не верит в этот голос, — не люди.
То есть в прямом смысле. Не дети Адамовы, не сыны
джиннов. Недочеловеки. Ну, что-то вроде опары-
шей — тех самых бледных, неприятно подвижных
могильных червей, которые с напористой и нежной
силой растлевают мертвую плоть, превращая баналь-
ную падаль в питательный гумус.

И еще ужасно и постоянно болела голова — всегда, каждый день, каждую секунду, целую жизнь кряду. Сейчас бы сказали — мигрень, и лечили бы ледяными обливаниями, сном и электрическим током. Тогда приходилось просто стягивать потуже голову куском пропотевшей ткани и часами ходить от стены к стене, чувствуя, как раскачивается в черепной коробке алый, бормочущий, раскаленный шар на суровой нитке: ловко бьет изнутри то по костяным вискам, то по глазным яблокам и потом вдруг быстро-быстро, как паук-крестовик, втягивается обратно... И все это в ритме шагов, в промежутках между вдохами, в ужасном режиме выжженной каждодневной жизни.

Легче становилось только ночью. Или когда делал шаг к истине очередной неверный. Еще легче, если неверный этот умирал. Падал, зарезанный в переулке тихим кинжалом; хрипел, пытаясь подцепить скрюченными пальцами удавку, впившуюся в глупое горло. Или катался по земляному полу, судорожно выхаркивая вместе с ядовитой блевотиной свою никому не нужную, убогую, уродливую душу. Но кинжалом все-таки было чище. И надежнее.

Но просто выкашивать направо и налево безмозглых шиитов и суннитов, хитрозадых иудеев и припадочных христиан было глупо. К тому же Хасан вообще никого не хотел убивать — он, в отличие от голоса, хотел только покоя. Голос же горячечной издевательской скороговоркой требовал власти и смерти. Власти и смерти. И Хасан ибн Саббах пришел за властью, смертью и покоем в Аламут.

В мире больше не было и не будет места страшнее и неприступнее Аламута, построенного (не иначе как джиннами) на самой вершине отвесной скалы — так что, не уронив шапку, и не увидишь. Сложенная из сахарно-белого камня крепость — пятьсот с лишним шагов в длину, несколько шагов в ширину, — на закате и восходе наливалась благородным пурпуром, но и случайные проходимцы, и профессиональные бродяги бормотали бредни про запекшуюся кровь и, разноязыко лопоча оберегающие молитвы, спешили по шуршащим горным тропам вниз, в долину. Чтобы, поужинав в деревне свежим влажным сыром (который до созревания натуго, как младенца, пеленали в соленое полотно) и завернувшись в ветхий плащ, лечь под навесом прямо во дворе, среди горячих тесных овец, и долго смотреть сквозь ресницы, прорехи и наспех сбитые доски на то, как кружатся и дрожат крупные, как чирьи, звезды. И, пока сон не дернет за ноги, утягивая на тягучую, обморочную глубину, все слушать, как вскрикивает во сне случайный знакомец, такой же нищий бродяга с войлочной бородой, — вскрикивает и, не просыпаясь, молится о милости и избавлении...

Попасть в Аламут можно было только по лестнице, хитроумно врезанной прямо в чрево горы. Оборонять эту лестницу хоть от армии головорезов мог один-единственный воин, сжевавший всего один-единственный комок душистого, маслянистого гашиша. Снаружи крепость была идеально недосягаема. И по сей день единственный склон, который обманчиво выглядит доступным, не способны взять штурмом даже пронырливые археологи. Да что там — по мириадам отвесно грохочущих камней не вскарабкались бы даже крепкие немецкие старушки в сверхудобных лаптях из экологически чистой концлагерной кожи на жилистых варикозных ногах, эти седовласые жрицы мирового туризма, болтливые весталки, потерявшие по одному краснорожему мужу в каждой из европейских войн и тяжело вооруженные глянцевыми буклетами и крошечными рюкзачками самых молодежных расцветок. Даже они не смогли бы попасть в Аламут, если бы, конечно, согласились заглянуть на экскурсию в самое сердце Ирана. Даже они.

Хасан ибн Саббах покорил Аламут одним взглядом.

Там, наверху, в крепости, была вода. Маленький сладкий родник, бьющий прямо из середины слезящегося серого камня. Это делало крепость еще неприступней. Но за едой — увы! — приходилось спускаться в долину. Редко — один раз в неделю, в месяц, в год, но — спускаться. И Хасан ибн Саббах принялся ждать. Он умел ждать, потому что знал о своем будущем все. И не только о своем — голос давным-давно прокрутил ему в голове миллион разноцветных картинок: это были и яркие флешевые мульты, и дурацкие короткометражки вроде тех, что делала советская "Грузия-фильм", и даже целые многосерийные саги совершенно цифрового качества и формата. Кое-чего Хасан не понял, кое о чем предпочел бы не знать вовсе, и потом, ретранслятор иногда барахлил, изображение прыгало, троилось, а один раз много дней подряд шуршал только надоедливый белый шум, но Хасан к тому времени не раз убедился, что голос не врет. И потому жить ему, Хасану, сто лет. И умрет он спокойной, благородной смертью в своем собственном доме, в крепости Аламут, и кровь, которой его фидаины зальют полпланеты, будет тихо и ласково, как море, лизать каменный смертный лежак, и кругом будут молча стоять убитые жертвы, покойные соратники, состарившиеся сыновья. Все сыновья, кроме двоих. Двое не придут, даже когда он будет умирать. И это Хасан ибн Саббах тоже знал давным-давно.

Комендант Аламута спустился в долину — за пахучим, полупрозрачным вяленым мясом, жестким, словно шея советского прапорщика, двадцать лет оттрубившего в солнечном Туркменистане, за тонкими пресными лепешками, созревшим сыром и кислым молоком, которое хранили в прохладных бурдюках и давали тем, кого укусила змея или проворный шерстяной тарантул. С комендантом был охранник — рослый молодой парень с круглыми смуглыми плечами и крошечным, сухим, как вишня, трагическим ртом. Он даже не вскрикнул, когда Хасан ловко вставил ему в печень тончайший лиловый клинок, повернув для верности лезвие — так и потом вот так, — а только с глухим кряхтением осел в пыль, изумленно глядя, как медленно расцветает на его животе прекрасная персидская роза, жаркая, как поцелуй гурии, которая уже вертелась где-то там, в раю, перед бронзовым зеркалом, готовясь к встрече и стягивая в узел зеркально-черные волосы, и пупок ее, вмещающий, как это и заведено у красавиц, унцию камфарного масла, загадочно благоухал...

Комендант не боялся смерти: он был взрослый мужик, крепкий и жилистый, прожженный воин и достойный слуга Аллаха, да будет благословенно имя его в веках. Но не бояться смерти еще не значит хотеть умереть прямо сейчас.

Жало, все в коричнево-красных, стремительно застывающих сгустках, уткнулось коменданту в правое подреберье. "Посмотри мне в глаза, добрый человек, — негромко попросил Хасан, — просто посмотри". Перст света, держащий на прицеле его темя, незримо качнулся, на миг оставив свою жертву, и хлестнул коменданта прямо по глазам. Ибн Саббах, непривычно лишенный привычной боли, жадно глотнул вечереющий воздух, комендант тоненько, как ягненок, взвизгнул и, зажав ладонями опаленное лицо, упал на колени рядом со своим мертвым телохранителем... "Тебе больно, — с горечью сказал Хасан, положив сухую, теплую ладонь на темя корчащегося человека. — Только я знаю, как тебе больно... Потерпи. Этой ночью, прошу тебя, сними охрану в Аламуте и в полночь пусти меня в крепость. Тогда, обещаю, твоя боль уйдет".

И мысленно добавил: "Ко мне".

Наутро в крепости суетливо обустраивались новые хозяева — таскали какие-то узлы, звякали оружием, сбрасывали со стен не успевшие застыть трупы, — словом, размещались. И только тело ко-

菜нданта Хасан ибн Саббах велел похоронить по всем обычаям и до захода солнца. "Это был добрый человек, — устало сказал он, машинально поглаживая макушку, в которой снова пульсировал знакомый перекрученный свет. — Очень добрый. Пусть покоится с миром".

Швы. Простые. Вертикальные матрацные. Горизонтальные матрацные. Наполовину погруженные горизонтальные матрацные. Подкожные непрерывные. Швы с нахлестом. Непрерывные запирающие (затягивающие). Непрерывные матрацные. Кисетные. Непрерывные Ламбера. 8-образные. Швы Ламбера. Швы Холстеда

Из роддома хрипуновскую маму никто не забрал. Многодневный запой по случаю рождения наследника, взвихривший полудеревенскую родню и счастливого папашу, к радостному дню иссяк, как тропический ураган, поглотив сам себя и окуклившись. Но сил выползать на иссушенный берег и собирать почерневшие корабельные обломки ни у кого уже не было.

Хрипуновская мама потопталась минуту-другую на крылечке роддома, поозиралась по сторонам и, приняв из рук ко всему привычной нянечки увесистый пакет с новорожденным, потихоньку пошла за угол — к автобусной остановке, где разъяренные с самого утра сограждане сначала крепко обматерили полоумную мамашу с младенцем, а потом, дружно наддав, воткнули ее со всего маху прямо в нутро вонючего пазика — да так ловко, что она проехала положенные пять остановок, так и не расплескав тихую, прозрачную, самую малость придурковатую улыбку.

Квартира, уже бессердечно позабывшая своих прежних евреев, дохнула ей в лицо молчаливым, инфернальным ужасом одинокого похмелья. Кое-как нагроможденная мебель испуганно отводила глаза, неподвижный потолок до краев наполнил собой застывшее на диване зеркало. Повинуясь привычному, вековому инстинкту, хрипуновская мама не стала искать мужа среди зияющих коробок, а сразу уверенно пошла на кухню — тихую, выпотрошенную и страшную, как утро после ночного обыска. Хрипунов-старший полуоплывшей глыбой сидел за разоренным кухонным столом, всем неподвижным лицом уставившись в мутное заоконье.

— Вова, я приехала, — мягко сказала хрипуновская мама и, локтем сдвинув мелодичные стаканы, положила маленького Хрипунова прямо на липкий пятнистый стол.

Старший Хрипунов с усилием повернул затекшие шейные шарниры — изображение, двоясь, болезненно прыгнуло — и мучительно навел резкость. У него было неузнаваемо толстое, глянцевое лицо, словно наполненное изнутри жидким желтым жиром, и белесые, остановившиеся глаза человека, видевшего ад, но так и не поверившего в Бога. Он не то чтобы забыл, что жену надо забрать из роддома, — просто груз дрожащей, похмельной вины перед всем человечеством разом оказался сильнее непроснувшегося родительского инстинкта.

— Вова, — еще раз осторожно сказала жена, и два колючих зиккурата, грохоча, рассыпались в голове у старшего Хрипунова. Он поморщился и невольно прижал трясущимися ладонями виски, чтобы осколки не прорвали до боли натянувшуюся кожу.

— А-а-а... — откликнулся он. — А-а-ам...

Это были первые за целое утро человеческие слова, которые он сумел протолкнуть сквозь скрипучую жестяную гортань, и Хрипунов-старший вдруг сморщился, задергал небритым подбородком, не в силах унять мелких, беспомощных слез, которые, оказывается, колотили куда больнее привычной похмельной дрожи.

И хрипуновская мама одним взглядом, до самого глазного дна, вобрав грязную кухню, пустые бутылки под столом, растерянные стаканы, тесно обступившие вспоротые консервные банки, вперемешку набитые окурками и килькой в томате, вдруг разом — всей своей жалостной, русской сущностью — поняла, как страшно было мужу проснуться среди ночи в этой незнакомой, полной стонущих углов и душных призраков чужой квартире, где нет ни привычных нычек, ни родных соседей, у которых всегда найдутся спасительные сто пятьдесят капель.

И как же долго он ждал, скорчившись, сначала рассвета, а потом ее — и все не мог дождаться, сидя тут, на самом дне своей боли, своего страха, своей невыносимой абстинентной вины. Она поняла это, как будто эта боль, этот страх, эта вина были невидимо отпечатаны на ней еще до рождения и теперь едкий, мучительный, как реагент, свет августовского полдня просто проявил их, словно мутное изображение на мокрой от усилий фотобумаге. И кинулась к мужу, как кинулась бы к залитому кровью, ревущему, испуганному, неловко упавшему сыну.

— Я как чуяла, как чуяла, — залепетала она, доставая из кармана обвисшего халата (того самого, в котором ее какую-то неделю назад увезли рожать) склянку медицинского спирта — предусмотрительно за рупь купленную у оборотистой вертлявой медсестрички. Так, не забыть сполоснуть засвиняченный стакан и спустить воду, чтоб похолоднее. Потом половина девяностошестиградусного огня на половину холодной воды, дождаться, пока помутневшая, грозно нагревшаяся жидкость (я мигом, Володенька, потерпи еще секундочку!) сначала побелеет, а потом вернется к первозданной идеальной прозрачности, сполоснуть еще один стакан — на запивку...

Она бы напоила мужа из рук, как маленького, но все тот же могучий инстинкт приказал ей отвернуться, не смотреть, как мужчина униженно ловит прыгающими пальцами скользкое стекло, как, давясь, вливает спирт в перекошенное горло, и она покорно засуетилась у раковины, боясь оглянуться и не зная, куда приладить взволнованные руки. Хрипунову-

старшему всегда мучительно давался первый глоток — у него был здоровенный, минимум на сотню
лет сработанный организм, который не торопился
к червям и сопротивлялся выпивке с невероятной,
по-настоящему биологической мощью. Но Хрипунов-
старший был куда упрямее эволюции, он знал, что
после первого, гнусного, блевотного спазма к нему
вернется привычная злость, вполне заменяющая характер, и тогда плевать ему будет на червей. Да на
хую вертел он этих червей!

Услышав наконец знакомый, выворачивающий,
рвотный звук, хрипуновская мама облегченно обер-
нулась, сияя той же тихой, спасительной радостью,
что испытывают, должно быть, только примерные
небесные ангелы, унесшие из-под самых дьявольских когтей полупрозрачную, мягкую, круглую детскую душку.

Хрипунов-старший все в той же позе сидел за столом, даже мокрые слезные дорожки на его щеках не
успели просохнуть, но все в нем было уже другим:
как будто в огромную тряпичную куклу резко вставили металлический штырь, и сразу стало ясно, что
это не кукла вовсе, а живое существо, опасное, страш-
ное, злое, но по какому-то дикому недоразумению
засунутое в обмякшее кукольное тело.

— Сын... — сказал он почти внятно и совершенно спокойно, приметив наконец на столе молчаливый сверток в голубом, согласно половому признаку,
одеяльце. — Как назвала?

— Аркашенька.

— Жи... жидовское имя.

И тут Хрипунов-младший наконец набрал полную грудь земного воздуха и — впервые в жизни — заорал, раздирая локтями и коленками неуютный байковый кокон и распахивая багровый, беззубый, бездонный, неистово пузырящийся рот.

ЧАСТЬ ВТОРАЯ
Промысл

Ложки. Ложка костная двусторонняя острая. Ложка костная острая жесткая. Ложка для выскабливания свищей двусторонняя. Комплект гибких ложек для удаления желчных камней. Ложка для взятия соскоба со слизистой прямой кишки односторонняя. Ложка для чистки кости. Лопаточка Бульского

Даже в самых нелепых семьях есть свои традиции. У Хрипуновых, например, садились ужинать ровно в восемь вечера — всегда. Такая царственная пунктуальность предполагает либо льняную скатерть, фарфоровую супницу и фамильное серебро, либо пресловутую роскошь человеческого общения, когда семейство сгоняют за один стол не столько кухонные запахи, сколько наивная потребность погреться у обманного, болотного огонька родственных чувств.

Хрипуновы насыщались просто — без скатертей и излияний. Причем Хрипунов-старший по преимуществу не насыщался, а элементарно жрал, шумно и мерно двигая тяжелыми челюстями, так что к концу трапезы от него даже как будто начинало ощутимо тянуть жаром и машинным маслом, как от хорошо прогретого большого механизма. Вообще, ели невозможную, тяжелую, неудобоваримую дрянь: какие-то мясные обрезки, плавающие в желтом жидком жиру, раскисшую от сала жареную картошку, залитые топленым маслом макароны — отъедались разом и за военное детство, и за великую голодуху сорок шестого года. И генетический ужас перед этой голодухой превращал банальный, в сущности, процесс приема и переваривания пищи в нечто сакральное, пропитанное самой настоящей обрядовой, мистической жутью.

Например, за столом категорически запрещалось разговаривать и вообще — шуметь. За несанкционированные звуки (когда я ем — я глух и нем!) Хрипунову полагался звучный лещ — чуточку тяжеловатый, для того чтобы считаться по-настоящему отеческим. Недоеденный (или слишком жадно проглоченный) кусок карался еще одним лещом и угрожающе воздетой к потолку столовой ложкой (миф о том, как дедушка-покойник без разбору лупил за столом домочадцев по лбу чуть ли не оловянным половником, маленький Аркаша усвоил гораздо раньше, чем историю про трех медведей и колобка). А за раскрошенный (испоганенный) хлеб или тайно выловленные из молока пенки можно было схлопотать от верховного жреца и полноценную порку — потом, когда закончится служба, то есть, конечно, ужин.

Самой еды не лишали никогда, ни за какие проступки. Еда — это было святое. Еда — это было. И ты нос-то, говненыш, не вороти. Привык с детства от пуза да на всем готовом. А мы с матерью в твоем возрасте желудёвые пышки жрали, да. И ничего — выросли. Дай бог каждому. Правильно я говорю, мать?

Хрипуновская мама готово кивала, подперев мягкую (с ямочкой) щеку мягким (с ямочкой) кулачком и гоняя по губам туманную, розовую улыбку. Она бы, впрочем, согласилась с чем угодно, и всегда была готова согласиться с чем угодно, и соглашалась, и мгновенно сливалась с любым фоном, приспосабливалась к любому психологическому ландшафту — райская душка, абсолютная женственность, воплощенная глупость. Хрипунов только потом — спустя целую жизнь — понял, как повезло с женой его отцу, как не повезло с матерью ему самому. Как ему вообще — не повезло.

Но все церемониальные условности семейного ужина еще можно было вынести: в конце концов, Хрипунов был нормальным маленьким дикарем, целыми днями сайгачил со своей кодлой по окрестностям и аппетит имел, соответственно, вполне дикарский. К тому же жрать можно было, слава богу, как придется — с открытым ртом, чавкая, пыхтя, облизывая пальцы и громоздя локти на стол, лишь бы тарелка (общепитовская, с золотым ободком) в конечном итоге осталась пустой. И все, все можно было преодолеть, заглотнуть, зажмурившись и не жуя, —

и вареный лук, и пенки, и куриную пупырчатую кожу, если бы не десерт, неминуемый и чудовищный, как конец света.

Ежедневно, заканчивая вечернюю трапезу, маленький Хрипунов, ощущая, как пульсирует в горле скомканный тошнотой желудок, надеялся, что какое-нибудь чудесное чудо помешает матери встать и вынуть из холодильника кошмар всей его жизни. И ежедневно, стоило Хрипунову-старшему корочкой подтереть с тарелки последнюю загогулину пристывшего жира, на столе появлялся эмалированный тазик. Белый, немножко облупленный с одного бока и чуть ли не до краев полный полураздавленными эклерами, обломками бисквитов, наполеонов, трубочек, корзиночек и прочих кулинарных шедевров. Сверху весь этот пирожный лом был украшен массивными котяхами крема — масляного, белкового, заварного, всякого — и посыпан шоколадной крошкой. И ежедневно — в три дружных столовых ложки — бездонный тазик полагалось опустошить. До дна.

Хрипуновская мама называла это — "побаловаться сладеньким".

Ворованный кондитерский брак приносила с работы, разумеется, она. Дело в том, что, оттрубив десяток лет поварихой в заводской столовой, хрипуновская мама вдруг сделала мощный карьерный рывок и перешла работать в городской кондитерский спеццех. Никакими особыми кулинарными талантами она, разумеется, не обладала, да и вообще, признаться, готовила скверно, хотя и с большим рвением. Смазливая и задастая поваришка просто приглянулась мелкому партийному боссу, который как-то — со страшенного бодуна — забрел в столовку к работягам с внеплановой и абсолютно дебильной инспекцией. Приняв из рук хрипуновской мамы запотевший стакан и выхлебав тарелку пустых пролетарских щей, босс проинспектировал вместе со спасительницей ближайшую подсобку, и через пару недель на столе у Хрипуновых впервые появился злосчастный тазик.

В первый раз Хрипунов даже обрадовался — не столько самим простым углеводам (к сладкому Аркаша был с младенчества счастливо и блаженно равнодушен), сколько неожиданному переходу в другой социальный страт. Дело в том, что в Феремове сроду не видели в продаже ни одного живого пирожного, питая небогатые мозги и небалованные души исключительно соевыми батончиками да развесными леденцами, похожими на битое стекло, небрежно завернутое в блеклые бумажки. Про спеццех тем не менее знали все. Но лишь немногим, избранным, блатным, чудом прорвавшимся в горкомовский сводчатый буфет или на закрытую распродажу по случаю очередного пленума или съезда местных идиотов, лишь этим счастливчикам удавалось увидеть или даже вкусить сложное, архитектурное, полное негой и нугой, дышащее зефиром и эфиром и обляпанное жирными кремовыми кляксами произведение ценой в двадцать две советские копейки.

Были, конечно, еще совсем уже высшие существа, покидавшие феремовские границы, знававшие другие города и даже саму Москву и утверждавшие, будто пирожных на Земле великое множество и продаются они на каждом углу, но Хрипунов-младший с этими небожителями лично знаком не был. Мало того, втайне он довольно долгое время был твердо уверен, что никаких других городов (тем более Москвы) не существует вовсе, что это просто такой ловкий ход (сейчас бы сказали — рекламная акция), а на самом деле границы всего сущего и горнего мира аккуратно и плотно, как пробка в бутылке с подсолнечным маслом, заполнил собой пыльный, провонявший кислым химическим дымом крошечный Феремов. И — знаете что? — какое-то время так оно и было.

Поэтому тазик с давлеными пирожными — это был не просто тазик. Это был знак — что-то вроде влажной яркой метки, которую оставляет на лбу побледневшего от волнения неофита твердый, как будто даже эбонитовый палец жреца. К сожалению, радость младшего Хрипунова очень быстро сменилась отчаянием. Во-первых, про "сладенькое" нельзя было нахвастать во дворе, а о том, чтобы вынести какой-нибудь наполеон поцелее и угостить своих, вообще не могло быть и речи (хрипуновская мама истерически — на уровне кровяной плазмы — боялась угодить в тюрьму за хищение народного достояния в особо сладких размерах). Во-вторых, пирожные — жирные, давленые, отвратительные — уже на третий день превратились из источника социальной гордости в тошнотворную кару. Так Хрипунов — в возрасте десяти лет — понял, что неограниченно владеть тем, о чем мечтают все остальные, не только скучно, но и тяжело.

И долгие годы спустя — всю жизнь, — даже когда не стало отца, даже когда сам он стал взрослым, старшим и единственным Хрипуновым, он, словно заведенные до предельного кряка настенные часы, зачем-то садился ужинать ровно в восемь — всегда. И всегда, приканчивая какой-нибудь легкий салатик (пара зеленых листьев, лимонный сок, ни грамма масла) и кусок клетчатой от гриля золотистой рыбы, он желудком чувствовал тень священного белого тазика и желудком же — длинно и медленно — содрогался, отодвигая полуразоренную тарелку, откладывая тонко звякнувший нож. Ни разу, став взрослым, старшим и единственным Хрипуновым, он не доел ничего до конца, демонстративно оставляя самый аппетитный, солнечный, едва тронутый кусок. И ни разу не взял в рот ничего сладкого. Ни разу. Не мстил, нет. Просто наслаждался свободой.

Изогнутый официант рысью спешил к солидному постоянному клиенту — опять не докушали, Аркадий Владимирович, неужели не вкусно? — и быстрыми птичьими движениями освежал стол, поправляя скатерть, убирая приборы, откуда-то из воздуха извлекая серебряный игрушечный подносик с кофейной чашкой и серебряной же сахарницей, — и все это разом, все это множеством бесшумных, длиннопалых, бескровных, жутковатых рук. Хрипунов, чуть откинувшись, чтобы не мешать этому профессионально-элегантному мельтешению, неторопливо закуривал, чувствуя, как укрощает мучительную спазму горячий (лиловатый на вдохе и коричневый на выдохе) сигаретный дым.

— Сахарницу уберите, пожалуйста, — привычно просил он. Не капризничал, не требовал, не лебезил, не хамил — именно просил, как просит один человек другого человека подержать, например, газету, пока он, один человек, завяжет не вовремя развязавшийся шнурок.

— Да я помню, Аркадий Владимирович. Вы сладкого не любите, — привычно же отзывался официант, покладисто растворяя в атмосфере ненужную сахарницу. — Нам положено просто так подавать.

Хрипунов спокойно кивал, и официант послушно исчезал вслед за сахарницей, довольный и даже польщснный неизвестно чем — уж точно не будущими чаевыми, которыми в Москве кого и удивишь, разве что совсем уже неотесанную, вчера только из Уляляевки прибывшую лимиту. Да и та быстро начинала соображать, что купеческий размах, битые зеркала и наклеенные на холуйские лбы сотенные — это все тьфу, дешевка, шушера, которая гоношится перед завтрашней пулей, а вчера еще сама топталась у чужого стола, заведя за угодливую поясницу жадную, скрюченную от нетерпения, загребущую руку. Нет, ресторанная обслуга (а также водители, горничные, сиделочки — словом, вся возродившаяся из социального пепла неисчислимая и мстительная *челядь*) на самом деле реагировала всего-навсего на хрипуновскую интонацию — очень простую, очень царских и древних кровей, реагировала мгновенно и уважительно, потому что по-человечески с ними разговаривали редко, так редко, что и память об этом у челяди имелась исключительно генетическая, но оттого не менее приятная.

Однако же Хрипунов барина никогда не ломал, да, пожалуй, и не сумел бы. Просто привык держать-

ся такого тона со всеми, то есть — абсолютно со всеми людьми. Он вообще никогда не хамил и никогда
не напивался, хотя бы потому, что был сыном хама
и алкоголика, а если его слишком долго не понимали — просто смотрел яркими, как у немецкой овчар-
ки, почти оранжевыми глазами: спокойно, внима-
тельно, с некоторым зоологическим, естествоиспы-
тательским даже интересом. И, странное дело, это
помогало.

И еще как помогало, только вот хрипуновский
папа, алкоголик и хам, не имел к этому ни малейшего отношения.

Дело было не в нем. И даже не в самом Хрипуно-
ве, а в том, что неподвижно, как ил, стояло на дне,
ждало своего случайного камня, чтобы тяжело ух-
нуть, вскрикнуть, всплеснуть, обдать облаком мрач-
ной мути — да так, чтобы все на одно ледяное острое
мгновение поняли, что это и не ил вовсе, и не коряга
на дне, да что там — это вовсе и не пруд, и не при-
молкшая рощица на берегу, и не человек это стоит
там, ссутулившись, на пасмурной траве, не может
быть у человека такой спины, и не молчат так люди,
и... Господи, если *это* сейчас обернется, то непременно ахнет и, оборвавшись, покатится прямо по песку
(собирая влажными боками камешки и сухие хвоин-
ки) пульсирующее, красно-сизое, перенапрягшееся
сердце.

Зеркала. Зеркало Дивера. Зеркало Дуайена. Легочное зеркало Эллисона. Почечное зеркало Федорова. Зеркало двустороннее по Ричардсону. Зеркало ректальное двустворчатое операционное. Зеркало для брюшной стенки. Зеркало для отведения печени. Зеркало для сердца

В первый раз это шевельнулось, когда Хрипунов, сопливый еще совсем шестилетка, увязался за шелупонью постарше в больничный сад — воровать барбарис. Барбарис в Феремове, вообще-то, не вызревал, то есть до ягод дело не доходило никогда, но авитаминозная шпана охотно жрала кисловатые барбарисные листья и еще охотнее ломала и крушила кусты — просто так, от бездумной потребности сбросить лишнюю, злую, дикую энергию.

Сохранность барбариса и всего прочего в больничном саду блюла бабка Хорькова, больничная сторожиха (совмещавшая этот нелегкий труд с обязанностями больничной же дворничихи). Баба она была гигантская и свирепая, как тарбозавр: правонарушителей безжалостно лупила метлой и, садистски вывернув ухо, волокла прямиком в детскую комнату милиции. Но вот что странно: на нытье, скомканные рубли и на страшные клятвы намотать кишки на голову бабка Хорькова, несмотря на очевидную плотоядность, реагировала не как хищник, а как самый заурядный диплодок — то есть медленно поводила крошечной, как лесной орех, головой, отдувалась и продолжала свое несокрушимое, непреодолимое, мерное движение в сторону инспектора по делам несовершеннолетних.

У этой махины было одно-единственное слабое звено — она не только думала, но и бегала, как диплодок. И потому схватить могла в лучшем случае одну-единственную особь. Самую — по всем неумолимым законам биологии — слабую, хилую и молодую. Остальные успевали не только вдосталь нажраться барбариса, но и удрать, сохранив тем самым священную целостность популяции. И частенько сметливая шпана брала с собой такую жертву специально.

Хрипунов, в свои шесть с небольшим лет еще не вполне уяснивший истинную сущность человеческой природы, предложением "сгонять за кислушками" был польщен и потрясен, как новобранец, впервые допущенный облобызать полковое знамя. Оказавшись в барбарисовых зарослях, он сразу ошалел от зеленых, золотых, лопочущих солнечных пятен и острого аромата летней перезрелой зелени и застарелой мальчишеской мочи (напрудить и нагадить в излюбленном месте дебильная феремовская поросль всегда считала делом чести). Кругом хрустело, ломилось, журчало, материлось и в десяток челюстей жевало кислую листву, а очумевший Хрипунов бездельно стоял посреди этого душного палеозойского великолепия, сжимая в руке колючую барбарисовую ветку и глупо улыбаясь, пока маленькое круглое солнце не переползло с его щеки на его же темную макушку. И тогда шпана вдруг разом перестала чавкать, навострила уши и, секунду помедлив, дружно ломанулась в сторону родного двора.

Хрипунов всегда был плохо приспособлен к стайной жизни — ему недоставало того великолепного, бессмысленного автоматизма, с которым огромная птичья стая вдруг разом делает общий поворот на девяносто градусов, на мгновение выложив на небе сложную и мрачную пиктограмму, и ни одна безмозглая ворона не путает право и лево, и ни одна не задевает другую даже кончиком сального, зеленовато-лилового пера. Хрипунов так не умел. И потому, когда все уже почти прсодолели проржавевшую колючку, он все переминался на больничной дорожке, старательно соображая, что в его положении будет солиднее — протиснуться боком сквозь шипастую дыру или попробовать махнуть верхом, как большому.

Бабку Хорькову он, погруженный в свои мучительные апории, разумеется, прошляпил, и никто не крикнул ему "атас", никто не свистнул даже, что было, с одной стороны, совсем уже подло, а с другой — совершенно справедливо, потому что кто бы и что сделал Хрипунову в детской комнате милиции — это шестилетке-то? Да его б на учет даже не поставили, блин. Кому он на хер нужен — сопля?

Удивительно, но бабка Хорькова оказалась не типичным хищником. Неподвижно стоявшая у забора добыча (в синих, пузырящихся на коленях трениках и грязноватой майке), как ни странно, распалила ее аппетит гораздо больше, чем цветовые пятна, с шумом и треском скрывающиеся вдали. Тарбозавр поступил бы иначе. Но бабка Хорькова презрела биологию, она неслась на Хрипунова, как паровая машина Черепанова, она пыхтела, лязгала поршнями, и метла ходила в ее раскаленных лапах, словно кривошипно-шатунный механизм.

Смешно, но Хрипунов так и не услышал этого торжественного прибытия. Он просто ощутил, как волна ненависти (сильнее, гораздо сильнее той, что он чувствовал обычно), вздувшись, толкнула его под лопатки, и обернулся посмотреть, что это там такое, елки-моталки, что это и откуда оно взялось. И бабка Хорькова, уже взмахнувшая метлой, уже разогнавшаяся до критической, орбитальной почти скорости, вдруг увидела, как щуплую мальчишескую фигурку (все те же треники, все та же майка, прозрачные от солнца малиновые уши) подернуло странной рябью, на миг растворило в полуденном мареве. И только глаза, желто-оранжевые, почти йодистые, совершенно спокойные, смотрели на нее из этого марева, из этой ряби, и такие это были недетские да и вообще — нечеловеческие глаза, что бабка Хорькова на полном скаку, словно налетев на бетонную стену, остановилась, взбороздив копытами песчаную дорожку. И, утирая багровый лоб, пошла куда-то в сторону, прямо по драгоценным своим клумбам, бормоча про чертову жизнь и чертову гипертонию и чувствуя, как ползет по жирной спине ледяная, длинная, подсыхающая дорожка пота.

Хрипунов, так и не успевший испугаться, удивленно посмотрел, как бабка, глухо ворча и переваливаясь, скрывается в больничной чаще, и неторопливо полез сквозь колючую проволоку. Все же прыгать верхом ему было пока несподручно. По малости-то лет.

Зажимы. Травматические — тканевый зажим Эллиса, тканевый зажим Лейна, влагалищный зажим на шейку матки (пулевые щипцы). Атравматические — кишечный зажим. Зажим медицинский желудочный со щелью. Зажим для временного пережатия сосудов с кремальерой, сильноизогнутый. Зажим кишечный жесткий. Зажимы для ушка сердца

В Аламуте Хасан ибн Саббах занял самый скромный домишко, вросший стеной в каменную кладку, и на вопрос "почему" распевно произнес — во имя Аллаха милостивого, милосердного — увлекла вас страсть к умножению, пока не навестили вы могилы. Так нет же, вы узнаете! Потом нет же, вы узнаете! Нет же, если бы вы знали знанием достоверности... Вы непременно увидите огонь!

В домишке сновали две жены ибн Саббаха, два непроницаемых столбика пепла, два кокона, две черные тени — повыше и пониже. Никто никогда не видел их без чадры. Говорили, что даже сам Хасан.

От двух жен у него было шестеро здоровых, крепких, смирных сыновей и одна дочка, прожившая от роду семнадцать минут. На восемнадцатой минуте Хасан велел второй жене, младшей, той, что не рожала, а суетилась у роженицы между ног с теплыми лоскутами и кувшином воды, сбросить ребенка со стены. И добавил — голосом тяжелым, как глина, и таким же сырым: прямо сейчас.

Вторая жена послушно опустила огромные ресницы, так что тень от них легла даже на плотную чадру, и, подхватив сучащую ножками красную девочку, молча выскользнула из дома в предутреннюю темноту. А та, что рожала, так же молча отвернулась к стене и, пока не рассвело, все глядела, не жмурясь и не моргая, на плотную каменную кладку... Но так и не посмела заплакать.

Ножницы. Шарнирные. Гильотинные. Горизонтально изогнутые. Вертикально изогнутые. Тупоконечные ножницы — прямые и изогнутые (Купера). Глазные (микрохирургические) ножницы. Реберные ножницы. Ножницы-кусачки реберные. Ножницы реберные гильотинные

В отрочестве Хрипунов был на вид самым заурядным шпаненком — тощим, угрюмым и совершенно диким. В нем не было ровным счетом ничего симпатичного: ни забавного неуклюжего благородства, ни доверчивой (чуть исподлобья, чуть в сторону) молочной улыбки, ни отчаянной ежеминутной готовности кого-нибудь с визгом и гиканьем плющить и защищать — словом, ничего того, что делает нормальных мальчишек семи — двенадцати лет такими трогательными и настоящими.

Хрипунов был другой. Никто не пичкал его Раулем де Брикассаром и краснокожими вождями, никто не кормил вместе с ним бездомных щенков и не устраивал им в подъезде домик в картонной коробке (пойди попроси у мамы каких-нибудь ненужных тряпок на подстилку, сынок), никто не рассказывал ему перед сном про войну и не учил выпиливать лобзиком. Впрочем, никто вообще никого ничему не учил. В Феремове (как и в миллионе таких же дрянных, закисших уездных городков) детьми интересовались только в самом зоологическом смысле: здоров, накормлен, ботинки целы — и порядок. И был в этом, знаете ли, свой, особый, высший, далеко не каждому понятный гуманизм. Ибо зачем бессмертная душа существу, которое все равно сгниет на заводе по производству искусственного каучука? Чтобы по достоинству оценить живой, жидкий, лунный блик на донышке отброшенной к забору водочной бутылки? Или чтобы насладиться багровым, пухлым, мясистым дымом, лежащим прямо на острие копченой заводской трубы?

Местная урла, подрощенная, злая, закаленная бесконечными приводами в детскую комнату милиции и уже привитая парой первых ходок по малолетке, попыталась было приохотить Хрипунова к своим нехитрым радостям (портвешок и карты в заросшей сиренью беседке, бесконечная игра в расшибалочку да мелкий гоп-стоп на пьяных ночных улицах), но от портвейна Хрипунова рвало красными густыми звездами, а гопстопничать с ним не было никакого кайфа. Ему было просто неинтересно. И пока стая визгливых сатанят азартно пинала ногами какого-нибудь мычащего заводского алкаша, мучительно ворочающегося в роскошной провинциальной пыли, Хрипунов все больше стоял на углу, на стреме, равнодушно наблюдая за сонным лопотанием липы, внутри которой — прямо в хлопотливой кроне — возился со шмелиным гудением уличный фонарь, пытаясь не то, ворча, выбраться наружу, не то зажечься наконец в полную силу. Но ничего не выходило, и фонарь только мигал иногда бессильными, лиловатыми, короткими вспышками, выхватывая из темноты то лужицу черной, как нефть, маслянистой крови, то странно вывернутую ногу в стоптанной сандалии, то расплющенную банку из-под гуталина — жалко, что растоптали, можно было сделать зэкую битку...

Потому Хрипунова быстро оставили в покое, убедившись только (довольно кроваво), что он не трус и в ментовку не побежит, а так — ну, с припиздью, конечно, парень, но все-таки свой. Ага, свой. И два раза подряд ошиблись. Потому что был, во-первых, никакой не свой. Во-вторых, самый настоящий трус.

Да, маленький Хрипунов был трус. И трусил, как и положено в его возрасте, великого множества самых разных вещей, далеко не всегда, кстати, очевидных. Например, он здорово боялся собственных родителей, хотя по феремовским меркам его, считай, почти и не лупили. И кротчайшей ангелической матери, как ни странно, Хрипунов боялся больше, куда больше, чем отца. Потому что отец был ясен, как бином: пьяного его следовало обходить, а трезвого — обходить еще дальше, к тому же отец Хрипуновым почему-то откровенно и неприкрыто брезговал, как брезгуют мышами или, скажем, тараканами, — и это было хоть и обидно, но зато по-человечески понятно. Хрипунов сам тараканов (рыжих, глянцевых, бесшумных) не выносил.

С матерью все было запутано — она была совсем не по правилам, потому что (это если по правилам) она должна была быть на хрипуновской стороне, но не была, несмотря на существовавшую между ними прочнейшую, острую нитку. И Хрипунов-младший нитку эту ощущал всегда — как некое упругое, странное и иногда болезненное натяжение от материнского пупка к своему — и знал, что и она эту нитку чувствует — и еще как. Но, несмотря на это натяжение и несмотря на то что Хрипунов был один-единственный (по феремовской терминологии — кровиночка, за которую мамаше следовало биться насмерть, сипя клокочущим разинутым клювом и распушив потрепанный хвост), мать была к нему как-то биологически равнодушна. То есть совершенно. А потому к ней — такой на вид ласково-округлой, нежной, живой — было бессмысленно приносить кроваво ссаженные об асфальт ладони или покалеченного синего зайца с надорванным брюхом. То есть она, конечно, старательно смазывала и сшивала, но так, что сразу видно было, что ей все равно.

Но зато как, как она смотрела "Три тополя на Плющихе"! Как в омут, как в зеркало — дрожа круглым подбородком, всхлипывая, ничего не понимая от слез, тискающих грудь, вполне доронинскую по выпуклости, но совершенно, совершенно, совершенно пустую для Хрипунова. Ма... Погоди, милка, я щас... Никогда не называла Аркашей, Аркашенькой, Кашкой. Очень, исключительно редко — Кадя, но это уж когда все негармоничные углы мира складывались в идеальный узор, в сердцевине которого сияла непропитая отцом и донесенная до дома тринадцатая зарплата. Очень редко. А так все милка да милка — с протяжной такой, деревенской интонацией. Будто звала загулявшую где-то надоедливую козу.

Отец же вообще не называл никак. Презирал.

Еще маленький Хрипунов боялся войны. Этот страх был самым сладостным и ярким. С пророческим, надменным простодушием Хрипунов валил в свой детский апокалипсис фашистов (готическая жуть черных свастик, желудёвые пышки из подслушанных рассказов про эвакуацию, пылающие гуашью "тигры" и "мессеры" среди черных альбомных каляк-маляк); Хиросиму (Садако Сасаки с лейкозными журавликами, обугленная тень испарившегося мячика на выжившей стене); ядерную войну (а потом тыщу лет будет идти снег, черный-пречерный, и все сгорят заживо, а потом замерзнут, и жить останутся только тараканы — тоже черные-пречерные. Величиной с дом. А Мурка тоже замерзнет? Ага. А мама? И мама. Да подбери ты сопли, байстрюк, ладно, останется твоя мама. С тараканами). И к страхам этим, понятным и узнаваемым, мешалась почему-то в жизни не виданная пустыня — раскаленная крупка, больно секущая лицо, и ветер, рисующий на камнях странные горячие спирали...

Еще Хрипунов боялся бледного коня и тысяче-глазого ангела из рассказов придурошной суеверной старухи, которая жила за хрипуновской стенкой и изредка — по-соседски — подряжалась понянчить маленького Аркашу. Бабка, бравшая за бебиситтер-ство исключительно жидкую валюту, спилась со ско-ростью чукотского оленевода и была увезена матерящейся невесткой в деревню — *сдыхать,* но конь и ангел остались. И еще много лет осторожно заглядывали в воспаленные сновидения Хрипунова, подталкивая друг друга и деликатно просовывая в пронизанный инфернальными сквозняками дверной проем свои многоочитые, причудливые и оттого особенно чудо-вищные лица.

Надо сказать, со снами у маленького Хрипунова вообще было не все в порядке. То есть всем детям снятся температурные кошмары — мучительные, со слезами и криками на весь пропотевший, ночной, всхрапывающий дом. На малышей попроще наводят ужас бабки-ёжки, лешие и прочие нехитрые фоль-клорные монстры, детям из приличных семей ви-дятся чудовищные цифры и огненные шары. Но главное, что все эти кошмары годам к десяти исчеза-ют бесследно, оставив о себе только потусторонний холодок, немеющий валидольный след на душе — тихое свидетельство того, что смерть все-таки суще-ствует.

У Хрипунова все было не так. Во-первых, его кош-мар был не связан ни с воспаленным горлом, ни с се-зонными простудами. Во-вторых, он снился Хрипуно-ву и в шесть лет, и в десять, и в тринадцать, и в тридцать пять, вызывая совершенно одинаковые, словно под копирку срисованные, чувства. Мало того, еще укладываясь спать, Хрипунов заранее — по невнятному гулу внутри себя — знал, что сегодня опять и что никаким усилием, ни молитвенным, ни мускульным, нельзя предотвратить мерный ход надвигающегося кошмара. Сначала всегда появлялась пустыня — выжженный блин бурой безмолвной земли, ни былиночки, ни ветерочка, и только на горизонте громоздились, нет, не горы, что-то похожее на горы, какая-то громадная застывшая каша, тихая и оттого особенно жуткая. Потом откуда-то сбоку выползала голова — просто голова, отдельно. Это был не зверь и не человек: что-то шерстяное, безглазое, без подробностей, как будто жирное пятно на сетчатке, и не сморгнешь его, не разглядишь. Голова молчала какое-то время, а потом принималась нечленораздельно бубнить, то ускоряясь, то гнусаво растягивая длинные слоги, пока не начинала завывать, словно отчаявшийся глухонемой или не на той скорости играющая пластинка. И немного не в такт этим завываниям — прямо из горизонта, из тех гор, которые на самом деле никакие были не горы, начинало плавными толчками наплывать на Хрипунова огромное лицо, невнятное, тихое, неподвижное. И в самый последний момент — всегда в самый последний — Хрипунов замечал, что между ним и лицом, прямо среди песка, растет крошечный цветок — элементарный, почти с детского рисунка: четыре круглых лепестка и дрожащий тонюсенький стебель. И в ту секунду, когда приближающееся лицо должно было слиться наконец с Хрипуновым (или наконец его поглотить), Хрипунов, отчаянно раздвигая неуклюжие кисельные слои сна, зачем-то прикрывал цветок ладонями, и лицо — под совсем уже невозможный речитативный вой головы — начинало наливаться таким невиданным светом и смыслом, что Хрипунов не выдерживал и просыпался от собственного вопля, насквозь мокрый от жаркого ужаса и физически невыносимого счастья. Физически невыносимого, да.

Но больше всего — больше войны, матери и бледного коня — Хрипунов боялся дяди Саши. Дядя Саша был феремовской легендой. Он был лыс, хром и работал санитаром в морге. И каждого из перечисленных симптомов хватило бы для того, чтобы потрясти нетренированные мозги феремовских малолеток, но, воссоединенные, они делали дядю Сашу единовластным королем детских кошмаров. Говорили, что он был партизаном. Что его поймали и зверски пытали гестаповцы. Что он всю войну прожировал полицаем в одной деревне и его до сих пор ищут недобитые односельчане, чтобы предать огню и мечу. Что в Гражданскую он был оруженосцем самого Котовского. Что он должен, просто обязан был полететь в космос вместо Поповича, но во время тренировок взорвалась центрифуга, и дядю Сашу списали вчистую.

Еще говорили, что он вор в законе, цыганский барон и ебется с трупами.

Но с "ебется" вообще не все было ясно — даже в одиннадцать лет. Хрипунов, еще лет в шесть выслушавший по этой части от старших товарищей энергичный пропедевтический курс, в самый кульминационный момент закашлялся, захлебнувшись беломорным дымом, и в результате остался при странной смущенной уверенности, будто "ебутся" — это когда дядька и тетка стоят возле одной дырки (возможно, в полу) и одновременно в нее писают. Какой в этом бессмысленном занятии мог быть кайф и какая тайна — было совершенно неясно. Но уточнять и переспрашивать значило выдать свою сопливость с головой, и потому Хрипунов, отдышавшись и вернув пламенеющим ушам привычный колер, просто смирился с имеющимися фактами, рассудив, что взять со взрослых особо нечего и что в водке, например, тоже радости немного, что не мешает взрослым со страшной силой ее жрать.

Водку, кстати, Хрипунов пробовал. Еще в пять лет. Ничего особенного. Просто горько.

Надо сказать, эта детская путаница сильно подпортила Хрипунову взрослую жизнь. Никогда потом — ни в восемнадцать (пробный сексуальный шар накануне больших проводов в армию, пьяная, беззубая и ласковая сорокалетняя шлюха в роли первой половой Лорелеи), ни в двадцать восемь, ни в сорок лет — он не испытывал от живых женщин особого удовольствия, только бледно изогнутый вопрос и неприятное ощущение, что ты что-то явно делаешь не так. То есть удовольствие, конечно, было — но смазанное, вполнакала и какое-то совсем уж физиологичное, вроде того, что получаешь от здоровенного куска белого теплого хлеба с толстой докторской колбасой. Первые пару минут приятно, нет слов, но доедаешь уже с определенным усилием.

Да и вообще всё, от чего веками заходились в лирической дрожи поэты (вся эта выпуклая радость узнаванья и шелковый ночной трепет), для Хрипунова сводилось к двум словам — мясная возня. После и во время которой если чего-нибудь и хотелось по-настоящему — так это принять хороший и очень горячий душ.

Ножи. Нож-шпатель. Нож-игла парацентезный штыко-образный. Нож ампутационный большой и малый. Нож брюшистый. Нож глазной обоюдоострый. Нож глазной серповидный микрохирургический по Циглеру. Нож гортанный скрытый по Тобольду. Нож для операций в полости рта и носа. Нож для вскрытия оболочки опухоли

С едина едва тронула бороду Хасана ибн Саббаха, а его уже называли Старцем Горы. Люди, пришедшие с ним в Аламут, верили Хасану так, как никогда не верили ни одному богу. Да и что боги? К тому времени они уже как минимум пару тысяч лет не баловали зрителей никакими серьезными акциями, перебиваясь копеечными по бюджетным меркам мелочами — сносным урожаем, вовремя выпавшими осадками да иной раз ребенком, чудесно исцелившимся от чумы, которая на поверку оказывалась самой банальной корью, с которой хороший иммунитет расправлялся в пару недель и без дополнительных молитвенных ухищрений.

А Хасан ибн Саббах, возвращаясь в Персию из Каира, спас от бури целый корабль, а ведь бури, в отличие от богов, ничуть не изменились, зло вообще меняется мало, и крошечной деревянной шебеке под жалким треугольником латинского паруса пришлось несладко. Так несладко, что даже бывалые арабские моряки принялись, жалко блюя, ползать по вздыбленной палубе и молить о милости всемогущего Аллаха. И только ибн Саббах остался совершенно спокоен среди всеобщего воя, как будто шебека не прыгала, как бесноватая, над бездной, бугристой и яростной снаружи, как котел кипятка. И как будто не ходили в тихой и неподвижной глубине этой бездны безмолвные слепые рыбы, ожидая, когда им на головы опустится наконец мертвая, сладкая, белесая от морской воды человеческая плоть...

Кино про бурю прокрутили Хасану в голове еще в Каире, прокрутили раз десять — и в рапиде, и *Slow Mo*, так что даже самый тупой и сонный фермер, катающий за щекой свой вечный попкорн, должен был понять, что к чему, и уверовать в неизбежный хеппи-энд. Но, раздавленные смертным страхом, моряки ничего не хотели слушать — ни увещевающие суры Корана, ни грязную ругань, и тогда Хасан ибн Саббах, шипя от злости, принялся разгонять трусливых шакалов пинками, оскальзываясь на мокрых досках и уворачиваясь от тонн переполненной ветром ревущей воды. "Ишаки! — вопил он. — Мужчины вы или верблюжье дерьмо?! Я же сказал, что сейчас все стихнет!"

И вдруг замолчал.

Повис, вцепившись одной рукой в мокрый канат и так дико глядя перед собой, что арабы даже выть перестали от ужаса, ожидая не то конца света, не то немедленного вознесения.

А у лица Хасана ибн Саббаха — прямо во взъерошенном воздухе — завис невидимый циферблат, черный, понтовый, со множеством дрожащих, как чихуахуа, стрелочек и насечек. "Знаменитый хронограф с ручным подзаводом, использовался на Луне, — бойко протараторил голос, — механизм калибра 1861, запас энергии — 48 часов, функции — хронограф, секундомер, календарь, корпус — нержавеющая сталь, прозрачная задняя крышка, ремешок из кожи аллигатора Миссисипи, хезалитовое стекло, водонепроницаемые до 30 м".

Хасан потрясенно молчал, глядя, как самая острая стрелка, задыхаясь, несется к финишу. Видение было настолько невероятно реальным, что он машинально протянул руку — стереть с драгоценно бликующего механизма мельчайшую водяную морось. Голос тут же расшаркался, шикарно, как приказчик, растягивая гласные:

— *Omega Speedmaster Professional.* — И с едва уловимой издевкой пояснил: — *Product placement,* бешеные бабки заплачены, не изволите примерить?

Хасан коснулся черного циферблата, и хронограф дрогнул, как нефтяная лужица, и, как лужица же, пошел живой подвижной рябью и полупрозрачными

маслянистыми кругами, так что Хасан даже вздрогнул от неожиданности и отдернул пальцы, на которых еще жило прохладное ощущение металла и стекла — гладкое и несокрушимо твердое. От такой тактильной белиберды сердце Хасана мгновенно ухнуло
вниз — словно он сунул руку в привычный мешок
и вместо куска припрятанной лепешки наткнулся на
шелестящий, колючий, ядовитый многочлен. И чтобы справиться с уколом непривычного страха, он со
всего размаху ткнул кулаком прямо в жидкое пере-
ливающееся время, сквозь которое мутно мерцали
искаженные лица перепуганных арабов, которые не
видели ни альфы, ни омеги — только насквозь про-
мокшего Хасана, который сперва застыл соляным
столпом, а потом дважды ткнул пустой воздух пра-
вой рукой.

И, словно повинуясь этим жестам, буря мгновенно стихла, будто вылили с неба миллион тонн масла,
и ветер тотчас же прекратился, и волны, и только
солнце так и не появилось, так что шебека неподвижно зависла в сером мягком киселе — наполовину на
небе, наполовину на воде, тихонько, как утомленная
лошадь, вздрагивая, когда моряки в такт ударяли
лбами в палубу, вопя о чудесном спасении так же неистово, как минуту назад вопили о смерти.

Хасан плюнул прямо на их безмозглые головы.
"Даже не верблюжье дерьмо", — пробормотал он
и пошел на корму, морщась от головной боли, от собственной молодости, от злости; это были его первые
дни в новом обличье, и все ему жало, все тянуло
в пройме и невыносимо резало под мышками. Он

знал, что потом привыкнет, и к голосу привыкнет, и голос к нему, и вообще все сложится благополучно — можно считать, даже идеально, учитывая предложенные ему исторические условия и временной промежуток.

Но только зря голос сказал ему, что время — это сыр. В смысле — как сыр. Хасан не понял. И тогда голос пояснил — дырки.

"А-а-а-а, — протянул Хасан ибн Саббах, — ну конечно. Дырки".

И потерял сознание.

Зубчатый кровоостанавливающий зажим Кохера. Прямой или изогнутый. Кровоостанавливающий зажим Бильрота с нарезкой. С прямыми или изогнутыми щечками (губками). Кровоостанавливающий зажим типа "Москит"

23 мая 1975 года Хрипунов проснулся от непривычного чувства — у него болела голова. Это было странно, потому что прежде у Хрипунова никогда ничего не болело — раскалешенные колени, стесанные локти и освежеванные ладони не в счет. Не в счет была даже наискось распаханная ладонь (слава богу — левая, слава богу, сухожилия и связки остались целы), которой Хрипунов как-то поймал в темноте дружескую финку — надо же было шпане как-то проверить, побежит он стучать на дворовых друзей-товарищей или не побежит. Хрипунов не побежал, он вообще мало что понял, потому что спешил домой из соседской булочной, темной, тесной и скрипучей, как спичечный коробок, и такой же уютной (во всяком случае, Хрипунову всегда казалось, что в спичечном коробке должно быть необыкновенно уютно). В булочной круглый год стоял сдобный, толстый, розовый дух — такой плотный, что хоть мажь его сливочным маслом и ешь на завтрак, как калорийную булочку за десять копеек. Еще там вечно толпились всем на свете обеспокоенные, визгливые тетки, а над этим чуточку угарным, съедобным гамом высилась угрюмая от хронической сытости продавщица, надвое перерезанная деревянным прилавком, так что покупателям приходилось довольствоваться исключительно верхней ее частью, монументальной и загадочной, как траченный временем египетский Сфинкс.

Хрипунов булочную любил. Особенно дорогу обратно — несколько неочевидных для приезжего, но известных каждому аборигену запутанных петель по тесным, заросшим дворам, неспешные кивки предподъездным бабкам, солидное ручканье со знакомой и полузнакомой шпаной. Но самая большая радость была в том, как согревал ребра батон за тринадцать копеек — теплый, доверчивый и толстый, как сонный щенок. Вообще же сверхзадач на обратной дороге было две. Первая — не застудить батон на стылом феремовском сквознячке, который поминутно принимался шмонать Хрипунова, ловко засовывая ему то за шиворот, то в рукава ледяные, мокрые пальцы с красноватыми от холода, распухшими костяшка-

ми. Вторая — выдержать и не вцепиться зубами в со-
блазнительно-беззащитный хлебный бок. За это пред-
полагалась порка, которая, впрочем, меркла по сравнению с сиюминутным хрустом смуглой корочки,
которая с коротким горячим вздохом открывала нежное батонное нутро — белоснежное, пористое, сли-
пающееся во рту в ароматный, липкий, кисловатый
комок.

Если в булочной вдруг оказывались рогалики по
шесть копеек, сдерживаться было бесполезно. Никакие муки — ни прижизненные, ни загробные — не
могли остановить медленное, по одному сдобному
витку в минуту, сладострастное действо. Рогалик полагалось есть именно по спирали, никуда не торопясь, пока теплые, пропеченные слои не раскрутят
время в обратном направлении и на ладони не останется длинная, бледная, тестяная палочка — нежная,
податливая, аппетитная и настолько невероятно, откровенно обнаженная, что у Хрипунова разом становилось тесно и в душе, и в паху.

Вечер, в который Хрипунова подрезали, мало чем
отличался от обычного, разве что рогаликов не было
и батон оказался вчерашний, а потому почти не со-
блазнительный, и еще моросило — конец все-таки
октября, и Хрипунов ежился в своей жиденькой
куртке, густо заросшей ледяными жирными каплями. Почти возле дома его окликнули из кустов желтой акации, облысевшей по осеннему времени, но
все равно ощетиненной, угрожающей и дикой, как
сцепившиеся в последней схватке человеческие ске-
леты и морские ежи. Окликнули как-то странно — эй

ты, слышь, подь сюда! — свои бы назвали как-ни-
будь — Арканей или там Хрипуном, а чужим здесь
делать было нечего: не в своем районе, в седьмом
часу вечера, в моросящей, подвижной, лопочущей
темноте.

Дворовые законы соблюдаются куда лучше уго-
ловного кодекса, и побежать или даже засуетиться
в такой ситуации точно значило нарваться на сума-
тошную, но крепкую драку. Потому Хрипунов оста-
новился и, независимо шаркая подошвами, пошел
к кустам, выставив нижнюю челюсть и напряженно
перекатывая во рту солидный вопрос: чего надо?
Куст, как светлячками набитый потрескивающими
папиросными огоньками, приблизился вплотную,
и вдруг откуда-то слева, чуть не из-под ног, мягко вы-
катился какой-то малец в низко натянутой кепке —
и не разберешь в темноте, кто такой. В сыром воздухе
что-то быстро перемешалось, и Хрипунов, не глядя,
не задумываясь, повинуясь мощному инстинкту
провинциального пацана, почувствовал, как распа-
рывает морось маленькое, неясно блеснувшее лезвие. Он отмахнулся, как от слепня, и куст, опять-таки
против всех правил, мгновенно опустел, только зато-
потало вдали, захрустело, затихая и отдаляясь.

Хрипунов постоял растерянно, чувствуя, как ще-
кочет и печет левую руку, и, переложив испуганно
прижавшийся к боку батон под другую мышку, зато-
ропился домой, благо оставалось каких-то два невидимых поворота. Дома мать, выслушав уклончивое
"упал", нараспев поахала над разинувшим алую
пасть свежим порезом, залила хрипуновскую ладонь

нарядной зеленкой и долго бинтовала, нежно глядя прямо перед собой прелестными, странными, равнодушными глазами.

Отец происшествием заинтересовался мало. Зато через пару недель к Хрипунову подошел сам Рюша — некоронованный хозяин малолеток всего микрорайона, в миру просто курчавый, как Пушкин, коренастый парень с прыщавым подбородком и длинными, как у гиббона, тяжелыми ручищами. "А ты, смотри-ка, нормальный пацан", — сообщил Рюша, доверительно дыхнув Хрипунову в лицо, и в подмороженном утреннем воздухе расцвела вкусная, чуть заиндевевшая перегарная роза. Хрипунов неспешно кивнул, Рюшина свита разношерстно и одобрительно загалдела, и Хрипунова оставили в покое.

А ладонь заросла — беловатым грубым наплывом, который медленно и ласково слизывало время, пока не оставило Хрипунову на память только тонкую, плотную линию, идущую параллельно линии судьбы, но наискось перечеркнувшую линию жизни.

Зажим артериальный Пеана, изогнутый и прямой. За-
жим вагинальный. Зажим гинекологический. Зажим для
бронха. Зажим для временного пережатия аорты и ле-
гочной артерии. Зажим для губ

Вот эти благоспасенные моряки и стали
первыми рьяными последователями Хасана. Они тогда вместе исколесили всю
Персию — ибн Саббах и шайка невероятных оборванцев с дикими глазами, — как
они пялились на него, остолопы, будто на голове
Учителя вот-вот проклюнется здоровенная финико-
вая пальма. Мешали, конечно, чудовищно. Хасан по
большой нужде не мог присесть без их молитвенно-
го лопотания, но зато и верны были, как припаян-
ные, — раз и навсегда. Так они и бродили всюду — то
обходя подальше соблазнительно грязные городки,

то неожиданно на пару месяцев зависая в какой-нибудь полумертвой деревне.

Хасан встречался с толпами людей, разговаривал, убеждал, рубил ладонью упрямый воздух — явки, пароли, тройки, подпольщики, шрифты, — он был идеальным нелегалом, потрясающим агентуристом, такие не каждый век рождаются — на радость ликующим спецслужбам. И главное, Хасан разрабатывал все сам, только сам, и все у него получалось, так что даже голос заткнулся уважительно, оставив Хасана ибн Саббаха наедине с его болью и вечно недовольными сельджуками. Хочешь завербовать человека — ищи недовольного или труса и ломай его об колено. Недовольных трусов среди сельджуков было хоть отбавляй, так что у Хасана даже колени разболелись, и всегда потом болели, до самой смерти — как будто мало ему было вечно раскалывающейся головы.

Но 23 мая все было как-то не так. Хрипунов проснулся от боли. Боль притаилась за левым виском, временами мягко, но сильно напирая на глазное яблоко. Это было непонятно, потому что последние пару недель Хрипунов ни от кого не получал в глаз — ни в левый, ни в правый, совершенно точно. Да и вообще неясно — чему болеть внутри, в голове, если снаружи все как будто бы цело.

Уж минут десять, как отбился в маленькой звонкой падучей старенький лупоглазый будильник, надо было вставать, не просто надо — пора, но Хрипунов, придавленный какой-то странной, тупой, незнакомой силой, все лежал на своем фамильном диванчике, уткнув лоб в шишковатые коленки, и не решался разожмуриться. Впрочем, глаза открывать было не обязательно — крошечная полутемная квартира и без этого сама тихо вползала под пульсирующие веки. Острый запах утренней беломорины — значит, отец только что отбыл на свой ненавистный завод, закурив в прихожей первую трескучую папиросу, которой — проверено! — хватало точно до автобусной остановки.

Из кухни, перебивая табачный дух, потянуло весенним сквозняком и завтраком, роль которого простодушно играли вчерашние макароны по-флотски, вываленные в чугунную сковородку и сверх всякой меры залитые яйцами. От одной только мысли о еде голову заломило еще сильнее, Хрипунов сглотнул и, скинув с дивана тощие синеватые ноги, побрел умываться.

Мать возилась где-то, задевая мебель тугим кримпленовым задом и негромко хрипловато мурча. Значит, наводила перед работой красоту, слюнила толстым быстрым языком зубную щетку, энергично муслякала ей в плоской картонной коробочке и потом, едва не прижав лицо к мутнеющему зеркалу, старательно вытаращив глаза и приподнимаясь от усердия на цыпочки, намазывала на ресницы тусклую, гуталинообразную массу. Помаду (морковную) приходилось выковыривать из надтреснутой тубы специальной спичкой, и еще одной спичкой — заточенной — расклеивать отяжелевшие от туши (хрипуновская мама так мечтала о "Бархатной"!), как будто пластмассовые ресничины — отделять их одну от другой, и отстраняться от неверного стекла, и снова припадать к нему, разглаживая пальцами незаметно подкравшуюся морщинку. Да нет, это просто неудачная тень; теперь вот мазнуть по носу кусочком ваты, припорошенной пудрой "Балет", прижать к жаркой заушной ямке холодное горлышко простодушных душков с загадочным наименованием "Быть может", и старательные, трогательные и жалкие усилия (предназначенные лишь для ознобных утренних прохожих да для гигантских пережаренных противней) будут закончены. Ах, как она была прекрасна, хрипуновская мама, вся расписанная под суздаль и хохлому, как это никому в целой жизни не было нужно!

Иглы. Игла (нож) дисцизионная. Игла (нож) для удаления инородных тел из роговицы. Игла бифуркационная. Игла гистологическая препарировальная прямая, изогнутая. Игла Гордеева. Игла для впуска воздуха. Игла для инъекций в полость околосердечной сумки перикарда. Игла для отсасывания плазмы. Для пункции сердца. Игла для сшивания небных дужек

Донести макароны по-флотски до школы Хрипунову так и не удалось, хотя чистого ходу было меньше пяти минут — собственно, требовалось только выйти из подъезда и пересечь небольшой пустырь, местами вытоптанный до глиняного блеска, но кое-где подернутый мутноватой зеленью слабенькой травы. Тут же урчала трансформаторная будка, под которую Хрипунов и выложил, содрогнувшись, свои несчастные макароны, едва тронутые сочным желудочным распадом, аккуратные, словно только что с маминой сковороды. Не веря своему счастью, примчалась откуда-то из кустов пегая, прогонистая от голода дворняга, припала, затравленно озираясь, к слегка парящей блевотине... Хрипунов еле успел отвернуться, сдерживая новый спазм, от озноба и боли его мелко и как-то неритмично потряхивало — как будто на телеге. Нет, на маленькой такой тележке — даже на доске, оснащенной четырьмя громыхающими шарикоподшипниками, только несло эту доску не по привычной феремовской горушке, а призрачному безмолвному склону, прямо по неровно пламенеющим камням, и рядом грохотала не визжащая от адреналинового счастья феремовская шпана, а летели вперегонки, обдавая Хрипунова ледяным нездешним сквознячком, какие-то бесшумные, странные, угольные тени.

С третьего урока Хрипунова отпустили, математичка сама подошла, отдернула ладонь от хрипуновского лба и почти человеческим голосом сказала — да у тебя, кажется, температура, Хрипунов! А ну, марш домой. К тому времени головная боль, вдосталь наигравшись хрипуновским левым глазом, короткими жаркими толчками расползлась дальше и теперь плотно сжимала всю голову Хрипунова очень горячей и очень колючей шапочкой. Его еще два раза вырвало — перед первым уроком и после второго, но легче от этого не стало, тошнота все равно мягким, неуютным клубком сидела в пустом желудке, изредка трогая Хрипунова за горло противной, горькой, слипшейся лапой.

Домой он не пошел. И какое-то время просто стоял возле школы, на заднем дворе, уткнувшись лбом в холодный хобот водопроводной трубы и чуть-чуть покачиваясь. Оттуда его жестоко шуганул дворник, дядька незлой, но тихо и очень причудливо ненормальный. Заключенный никем не замеченной шизофренией в очень красивый и необыкновенно сложный мир, полный цветных сполохов, заботливых голосов и изысканно сложных ритуалов, дворник требовал от вверенного ему контингента (мётлы, совковые лопаты, младшие и старшие школьники) соблюдения целого конгломерата самых невероятных правил. Например, лужи можно было обходить только слева. А справа — нельзя. Справа от луж лучило. Еще нельзя было стоять на канализационном люке. Подходить к елкам (там лучило еще сильней). Произносить вслух слово "рекреация". Ну и так далее.

Не желающих подчиняться идеальному распорядку дворник просто выгонял со двора — особо упрямых при помощи лопаты. Запреты передавались из уст в уста как часть школьного фольклора, потому битых было не слишком много, и жизнь на выметенной площадке шла в полном соответствии и согласии с вялым течением дворницкой душевной болезни. То есть все стояли и ходили там, где хотел Мировой пульсар. И каждый день после уроков и во время большой перемены дворник, щуря липковатые глазки, удовлетворенно наблюдал идеально ритмичное и правильное кружение по двору сияющих геометрических фигур и торжественных световых потоков. В такие минуты он был безоблачно и пронзительно счастлив — наверное, единственный на всей земле.

А стоять у водопроводной трубы под третьим слева окном первого этажа тоже было нельзя. Хрипунов просто забыл.

Потом был какой-то неясный временной перебив — такой плотный, что даже много лет спустя Хрипунов старательно пытался вспомнить или хотя бы понять, какая нелегкая (а главное — зачем) принесла его, невесомого от боли, огненного, едва уже соображающего, именно в больничный сад, до которого от школы, в общем, надо было пилить и пилить, да и делать там, в больничном саду, в конце мая, днем, одному, было совершенно и очевидно нечего: барбарис едва проклюнулся, под старыми, стиснувшими друг друга елками кое-где еще чернел зернистый снег — никакой, словом, серьезной поживы серьезному пацану, одна чавкающая почва, да заляпанные по колено брюки, да одичавшая за долгую зиму, лютая от одиночества бабка Хорькова.

Или он просто чувствовал, что ему *нужно* в больницу? Математичку, отправившую его домой только с третьего урока, судили страшным судом педагогической чести — она рыдала, по-кроличьи дергая мягким красным носиком, юбка перепачкана мелом, на горле дрожит виноватая толстенькая жилка — я же не вры-ы-ач, ну откуда я знала, он же не сказал, что ему больна-а-а. Отправила бы с четвертого — засудили бы насмерть. На хрипуновскую смерть. Потому что никто не знал, почему он тогда не умер. Должен был по всем статьям. Но не умер. Не смог.

В самом дальнем углу больничного сада была помойка, вполне, впрочем, по-феремовским меркам, цивилизованная. То есть объедки воняли и кисли по большей части в мусорном баке с надписью "Пищевые отходы", а не где попало, еще один бак — зеленый, с крышкой — был заперт на висячий замок (мальчишки говорили, что туда выкидывают отрезанные руки и ноги и всяких непонятных человеческих зародышей, — и врали только на одну треть), а все остальное было неопрятной и невероятно заманчивой кучей свалено на бетонную площадку, деликатно отгороженную от царства живой больничной природы бетонными же блоками, поставленными на попа.

Полюбоваться этой роскошью можно было только издалека — бабка Хорькова почему-то сторожила помойку с истинно сакральным рвением, будто собственное драконье логово или алтарь хищного неведомого бога. Те немногие пацаны, кто ухитрялся не только добраться до груды больничного мусора, но и вернуться оттуда живьем, с придыханием рассказывали, что на помойке все завалено почти не сломанными скальпелями, кусками окровавленной ваты, перепревшими бурыми бинтами, металлическими штуковинами и прочими странными и любопытными вещами, без которых мальчишке в хозяйстве не обойтись ну просто никак. Словом, место было, как сейчас говорят, культовое. Да и сама больница была культовая — огромная, погребенная на дне одичалого парка, она была таким же жизнеобразующим явлением в городе, как каучуковый завод. Только куда

старше — говорили, что флигель в ней сохранился
еще с незапамятных времен, глупости, конечно, с незапамятных времен в Феремове сохранилось только
само время.

Именно на больничной помойке к Хрипунову
снова ненадолго вернулось человеческое сознание.
Что-то хрипло щелкнуло, и он обнаружил, что сидит
прямо на теплых от майского солнца и грязных бетонных плитах, сгорбившись, уронив перед собой
бледные руки, жалко вылезшие из школьного пиджачка и увитые совершенно взрослыми, тяжелыми
жилами. Он вообще странно изменился с утра — как
будто похудел на несколько килограмм и постарел
лет на десять. Почти взрослый двенадцатилетний
человек с изможденными складками у крупного рта
и сухими оранжевыми глазами — такими яркими от
боли, что Хрипунов, наверно, мог бы светить ими
в темноте — двумя пыльными кошачьими лучами.
Но было светло. Очень светло. Даже слишком. 23 мая
1975 года. Без нескольких минут полдень.

Какое-то время Хрипунов тупо глядел прямо перед собой на кучу курящегося от жаркой вони больничного мусора. Все было как обещано: и осклизлые
бинты, и пятнистая вата, и кровь, напитавшая землю, и земля, присыпавшая синюю сталь. Не было
только сил запустить в эти сокровища руки.

Голова больше не болела, вернее, Хрипунов больше этой боли, разлившейся и аккуратно заполнившей
все тело, не замечал. От жара ему казалось, что все вокруг сухо пощелкивает, будто он не сидел вовсе, а шел,
не разбирая, по дорожке, вымощенной живыми май-

скими жуками. Нет, не жуками, а тараканами, жуткими, шустрыми, рыжими, и не дорожка, а дорога — ночная, кошмарная дорога из комнаты на кухню, свет включать нельзя — родителей разбудиш-ш-ш-шь — плечо, косяк, синяя страшная тень, еще косяк, бледный призрак ощеренной газовой колонки в кухонном углу, правая рука шарит в поисках вожделенного крана, во рту пылает сухой колючий пожар, и тут под босой пяткой беззвучно щелкает живое, ужасное, тараканье тельце...

Хрипунов передернулся от идиосинкразического спазма и почувствовал, что не может шевельнуть головой.

Мышцы шеи словно парализовало. Хрипунов на секунду вяло удивился этому, но только на секунду, потому что с ужасом вспомнил про бабку Хорькову, которая точно таилась где-то в больничном саду, сужала круги, раздувала вывернутые наизнанку морщинистые ноздри, готовая накинуться и изорвать на части осквернителя священного места. Это было совсем уже смешно, потому что после давнего (совсем забытого Хрипуновым) барбарисового случая бабка Хорькова держалась от странного пацаненка подальше — вполне инстинктивно, говорим же, она была и по сути, и по виду совершенным диплодоком, по какой-то странной прихоти эволюции предпочитающим парную человечину. Стоило ее первой (и единственной) сигнальной системе запеленговать поблизости маленького Хрипунова, как бабка, отдуваясь и затравленно оглядываясь, рабски спешила в сторону дворничьей будки, поближе к родимому кипятильнику, литровой эмалированной кружке с черным грузинским чаем и к газетному фунтику с окаменелыми сахарными подушечками. Точно так же, как миллионы лет назад уползали, торопливо чавкая пузом, скользкие доисторические твари — от принесенного молнией огня, который трещал за спиной, и жалил, и жег, неизвестно откуда взявшийся, живой, и жуткий, и одновременно неживой.

Вот и сейчас — Хрипунов просто не знал об этом — бабка Хорькова сидела на повизгивающем стуле, первобытная глыба, испытывающая первобытный ужас, и сосредоточенно дула на свой вонючий опилочный чай, и не было силы, которая заставила бы ее выйти на волю, потому что воли у нее никакой не было. И вообще никого не было. Ни единого человека во всем мире. Никого, кто бы ее любил.

Но про бабку Хорькову Хрипунов помнил недолго, потому что сидел в самом центре смертного облака — так, что мир по краям этого облака уже как бы завернулся внутрь, окуклился и был почти не виден, так только — слабые, подвижные, кисельные тени, все теснее сжимающие вокруг дрожащее, свинцовое, неторопливо наползающее кольцо. Одна из этих теней мешала Хрипунову, словно соринка, попавшая в глаз, и, нечеловеческим (потому что почти ничего человеческого в нем уже не осталось) усилием воли сфокусировавшись, он увидел, что это и не тень вовсе, а котенок. Живой котенок, крошечный, от силы полуторамесячный, рыжий и свалявшийся, как маленький детский валенок. Попав в эпицентр хрипуновской смерти, котенок ничего не заметил, а продолжал упоенно играть с мусорной кучей прямо под хрипуновскими ногами, то подцепляя ловко скрюченной лапкой виток старого бинта, то яростно нападая на вредную и, без сомнения, очень опасную раскисшую картонку.

Хрипунов какое-то время вглядывался в мельтешащую огненную точку, чувствуя, как, медленно разминая кости, возвращается боль, только уже не изнутри, а снаружи — облако подбиралось все ближе, и если бы Хрипунов сумел обернуться, то понял бы, что позади него вообще ничего нет, и это ничего уже приложило к его затылку равнодушный рот и втягивает неторопливыми, размеренными глотками нищенский Феремов, мокрый больничный сад, помойку бабки Хорьковой и рыжего котенка, который смешно подпрыгивал на месте, выгибаясь щетинистой пилкой и старательно пугая собственную юркую тень. Кто бы знал, как Хрипунову хотелось котенка! Или щенка. Да что там — он был согласен даже на воняющего слоновником хомячка в трехлитровой банке, лишь бы хоть одну, самую маленькую, родную, меховую, зверушечью душу. Ему даже обещали сначала — если закончит без троек первую четверть, потом вторую, и Хрипунов, дрожа от напряжения, без конца выводил лиловые непослушные прописи пятнистой от холода бестолковой рукой. Потом обещания выдохлись, как мамины духи, притертые прохладной граненой пробкой, отец хрипло матюкнулся про и без того вечный, бля, срач, мать молча проплыла мимо равнодушной безмолвной тенью. Прописи полетели в один угол, Хрипунов, сгорбившись, побрел в другой, а котенок, выходит, остался. Оранжевый. Теплый. Живой.

Хрипунов мало что знал про смерть — с ним про это не говорили. С ним вообще ни о чем таком не говорили, да и с кем, собственно, об этом поговоришь? Но котенок точно был ни при чем. Это было ясно. И Хрипунов, собрав в узел всю не успевшую вытечь, слабо сопротивляющуюся жизнь, протянул руку и, схватив вякнувшую маленькую шкирку, изо всех сил швырнул котенка прочь из своей смерти — туда, где еще можно было с трудом различить крохотное майское солнце, обжигающий воздух и зеленый облупленный бок мусорного бака.

В тот же самый момент Хрипунова от темени до пят проткнуло невероятной, потрясающей болью, сквозь которую он увидел прямо перед собой, почти вплотную, огромное, во весь оставшийся, сжимающийся мир лицо — как будто в том своем сне, только лицо оказалось женским. Женщина улыбнулась — чуть-чуть, самыми краешками прекрасного твердого рта, но так хорошо, что Хрипунов вдруг сразу все понял, и успокоился, и перестал бояться, и провалился во всхлипнувшую тьму совершенно счастливым — не услышав свой собственный, протяжный, монотонный *мозговой* крик. И так и не увидев, как обмякшей ржавой тряпкой соскользнул на бетон рыжий котенок — насмерть, в лепешку, разбившийся о мусорный бак.

Иглы. Игла костно-мозговая с упором. Игла Куликовского для прокола гайморовой полости. Игла лигатурная. Игла лигатурная тупая для слезного канальца. Игла-вилка для лечения рака кожи. Игла-вилка лигатурная. Игла-канюля

Десять лет провел Хасан ибн Саббах в жутковатом персидском подполье, полном тихих опасных крыс — в том числе и человеческих.

И только потом, опутав страну прочнейшей агентурной сетью, позволил себе взять Аламут. Через три года его аламутского царствования крепости стали сдаваться ему одна за другой. Меймун-диз. Ламасар. Он прибавлял их, как бусины к ожерелью. В стратегически удачных местах закладывал новые — неприступные, ледяные, идеально укрепленные, идеально связанные с долиной сотнями невидимых пут, тонких нитей, вытканных на выгоде, преданности и страхе. Но в основном, конечно, на банальном человеческом страхе. И попробуйте найти на свете хоть что-нибудь прочнее. Крепости вообще были слабостью Хасана. Он любил горы — ему хорошо дышалось на высоте.

Кольцо каменных замков Старца Горы стиснуло Персию со всех сторон, сжало границы, и никто не мог ничего с этим поделать — ничего. Хасан был невидим для официальной власти. Невидим и неуязвим. "Нет ни одного разряда людей более зловещего, более преступного, чем этот род... — строчил, поеживаясь, безымянный араб-летописец. — Упаси боже... эти псы выйдут из убежищ..."

И вышли.

Не только над Персией, надо всем обитаемым миром прокатилось неслыханное, раскатистое слово "террор". В Европе вечерами лязгали пудовыми ставнями, подпирали поленьями двери, шептали над детскими люльками, шипели, испуганно кругля глаза, — хашашины... Бормотали, что Старец Горы одурманивает своих бойцов гашишем — потому и хашашины — и что гашиш этот превращает их в неукротимых убийц, фанатичных берсерков, в монстров навроде их же европейских викингов, обожравшихся переспелых мухоморов. Дикари, морщился Хасан ибн Саббах, какие же дикари! Да кого бы он удивил своим гашишем, это в Персии-то, по пояс заросшей сочнейшей пряной коноплей. В редком доме не висели над дерюгой вянущие ароматные стебли, плача желтоватой смолой и роняя на грубое полотно обессиленные листья. Время от времени сноровистые женщины соскребали с дерюги марихуанные слезы и долго-долго (четыре протяжные песни и один тихий задушевный разговор) варили их в медных котелках, а потом еще дольше мяли клейкую темнеющую массу в ладонях, тискали, раскатывали на голом твердом бедре. Лучшим считался гашиш, приготовленный молоденькими девушками, в нем концентрация ароматического альдегида тетрагидроканнабинола получалась выше: аж до одиннадцати процентов вместо привычных семи — наверно, от томного и сладкого девичьего пота. Жевать такой гашиш начинали едва ли не раньше, чем ходить, да и толку от него было, честно говоря, не больше, чем от крепкой сигареты — так, небольшой приятный расслабон да нестрашные гримасы пространственно-временного континуума. Какие уж тут бойцы и фанатики, надо же, придумали — хашашины, а страху на себя нагнали столько, что и века спустя в половине европейских языков слово "асасин" (без гортанного выдоха на "хаш") означает — убийца. Или предатель.

Еще болтали, что Хасан ибн Саббах готовит своих смертников-фидаинов в специальной долине. Мол, лежит эта долина в тайном месте, меж двух отвесных скал. *А в долине этой Хасан развел (надо полагать, сам) большой отличный сад; такого и не видано было. Были там самые лучшие в свете плоды. Настроил он там самых лучших домов, самых красивых дворцов, таких и не видано было прежде; они были золоченые и самыми лучшими в свете вещами раскрашены. Провел он там каналы; в одних было вино, в других — молоко, в третьих — мед, а в иных — вода. Самые красивые в свете жены и девы были тут; умели они играть на всех инструментах, петь и плясать лучше других жен.*

Так, во всяком случае, писал Марко Поло лет этак двести с хвостом спустя, в тринадцатом веке, сидя в генуэзской темнице и нудным голосом диктуя задроченному сокамернику Рустикану Пизанскому свои бредни, собранные за двадцать шесть лет тасканий по странам и континентам. Кстати, все, что курсивом, — прямая цитата из марко-половской "Книги о разнообразии мира", которую Хасан, помирая со смеху, читал — правда, с монитора, что не очень удобно, но зато с бо-ольшим опережением издательского графика. И так нелепо было прочитанное, так смешно, что Хасан даже завел привычку говорить своим людям, укоризненно качая головой: да ты глуп, батенька, совсем как Марко Поло.

Его не понимали, конечно. И оттого боялись еще больше.

Но вернемся в наш дивный сад с его толстыми девками и реками, полными скисшего под ненасытным персидским солнцем молока и перебродившей браги. Это было нечто вроде действующей модели рая в натуральную величину. Ну, якобы. Обыватели — уже не только европейские, но и местная люмпенизированная шелупонь — рассказывали друг другу, что Хасан, натаскав, как коршун, из глухих горных деревень тамошних юношей от двенадцати до двадцати лет, отправлял их в этот самый сад, сонными. *Захочет старец послать куда-либо кого из своих убить кого-нибудь, приказывает он напоить столько юношей, сколько пожелает, когда же они заснут, приказывает перенести их в свой дворец. Проснутся юноши во дворце, изумляются, но не радуются, оттого что из рая по своей воле они никогда не вышли бы. Идут они к старцу и, почитая его за пророка, смиренно ему кланяются; а старец их спрашивает, откуда они пришли. Из рая, отвечают юноши и описывают всё, что там, словно как в раю, о котором их предкам говорил Мухаммед; а те, кто не был там, слышат всё это, и им в рай хочется; готовы они и на смерть, лишь бы только попасть в рай; не дождутся дня, чтобы идти туда.*

Отдельный вопрос: чем можно упоить здоровенных горцев, чтобы незаметно допереть до дальней долины, это сколько же перевалов, сколько верблюдов, погонщиков, ишаков, сколько ненужных глаз и ушей! Да и как, спрашивается, упаивать, если каждый с молоком матери впитывал, что вино — это хамр? А то, что покрепче, и вовсе — мударр и хабаис. То есть не просто нельзя — невозможно. Все равно, что индусу сырьем сожрать священную корову.

Еще вопрос: а чего это так нешуточно вставляло юношам от пляшущих красавиц и кудрявых цветов? Или они никогда не спускались со своих гор в изнуренные буйным фотосинтезом долины? Или до Хасанова дворца не видели женщин? Нет, конечно, запретны им были в качестве жен их матери, дочери, сестры, тетки со стороны отца, тетки со стороны матери, дочери брата, дочери сестры, молочные матери, молочные сестры, матери их жен, падчерицы — их воспитанницы, с матерями которых они сошлись (а если не сошлись с их матерями, то нет греха, если женитесь на падчерицах); запретны жены их кровних сыновей, запретно жениться одновременно на двух сестрах, если это не случилось прежде, но с остальными-то — воистину Аллах прощающий, милостивый — было можно. И даже нужно. Но разве обыватели задают вопросы? Они просто болтают своими бескостными языками...

Крючки пластинчатые парные по Фарабефу. Крючок s-образный. Крючок глазной Крюкова. Крючок глазной четырехзубый острый. Крючок глазной, немагнитный. Крючок декапитационный. Крючки для сердца парные

К огда на десятые сутки Хрипунов наконец пришел в себя, хрипуновская мама уже выговаривала его диагноз — пневмококковый менингит — без запинки и даже с некоторой гордостью. Весть о хрипуновской болезни ей принесла Нинка Бабкина с первого подъезда, жлобовка, знавшая подноготную всех обитателей микрорайона с такой пугающей достоверностью, что поневоле на ум лезла всякая потусторонняя хрень. Хрипуновская мама только что пришла с работы и по обыкновению своему замерла в крошечной прихожей у зеркала, сумеречно вглядываясь в невиданную, головокружительную темноту. Ах, все, все у нее было как у людей: и кримпленовое платье по последней моде — чуть приталенное, чуть выше прекрасных монументальных колен, и песчаного цвета пыльник с актуальным хлястиком на гладком заду, и — о чудо! — скрипучие, сморщенные, невероятным усилием добытые сапоги-чулки на безумно модных копытах, и нежное лицо, которое не могли изуродовать ни матрешечная косметика, ни шестимесячный перманент, скрипящий под расческой, как строительная стекловата...

Но как-то некстати это было и не так грело душу, как обещано, да и вообще, признаться, во всей жизни что-то складывалось как будто против ее маленькой воли, немножко не совсем так, словно заботливо разложенная выкройка из "Работницы" чуть-чуть съехала с распятого на столе дефицитного отреза на миллиметр всего и отодвинулась от намеченного портновским мыльцем великого пути, но этого оказалось достаточно. И прощай хороший вечер, прощай будущая юбка, прощай синеватая, толстая, с благородно-седым подшерстком стопроцентная шерсть. И то, что все — включая маленького Хрипунова — принимали за странное, отстраненное, остраненное равнодушие, было на самом деле мучительным и тщетным усилием понять — где, где дрогнула рука, вколовшая в ткань судьбы первую неправильную булавку, где она ошиблась, эта рука, и — самое главное — чья она и зачем так холодно во мглистой ее, исполинской, невидимой тени?

И когда 23 мая в дом к Хрипуновым шумно ворвалась вся распертая невероятной новостью Надька

Бабкина и с порога (несмотря на шпану и химзоны, в Феремове никто от роду не запирал дверей, во всяком случае для Бабкиной это никогда не было проблемой), с порога прямо завопила, торопясь, как всегда, уложить в первом же предложении весь информационный блок — Танька, рабенок-то мертвый у тебя! — хрипуновская мама вдруг ясно и разом поняла, что это правда, но поняла так страшно и вообще, что только у больницы и опомнилась, растрепанная, задыхающаяся, чуть не свихнувшая лодыжки в чудовищных своих, скользких сапогах-чулках. В больнице ее и слушать не стали, все равно в интенсивную терапию было нельзя ("В какую терапию?" — "Да в реанимации он у тебя, мамаша, русским языком тебе говорят — в ре-а-ни-ма-ци-и!"). Но хрипуновская мама таким странным голосом твердила — скажите, он мертвый, скажите, он мертвый, — словно приглашала врача поиграть с ней в "купи слона", и настолько не было в ее словах даже намека на вопросительную интонацию, что ей мигом воткнули какой-то успокоительный укол и даже разрешили посидеть внизу, в приемном покое, на кушеточке. И она посидела минут тридцать, но, к огорчению Бабкиной, не повыла и даже не поплакала, а только старательно разглядывала грязноватый суриковый пол, а потом вдруг встала и ушла домой, чуть покачиваясь от лекарства, но в остальном совершенно спокойно. Совершенно спокойно. Как всегда.

Для хрипуновского папы менингит стал отличным и законным поводом для полноценного внепланового запоя. Впрочем, к тому времени он все чаще уже запивал по вдохновению, а не по строгому расписанию: алкоголизм его торжественно выплывал из пика второй стадии — навстречу делирию, веселеньким микроскопическим галлюцинациям и большому распаду, который и должен был наконец разрушить его печень, в которой у русского человека, как у сказочного Кощея, заключена и душа, и злосчастие, и самая жизнь. Хрипуновская мама немедленно и энергично отвлеклась на этот запой — в конце концов, в реанимацию действительно никого не пускали, потому ломать под больничными окнами белые крылья в то время, пока дома под угрозой бессмысленного и бездарного пропивания томятся недешевые, полезные и дорогие сердцу вещи, было непрактично. Она вообще была не по-русски и не по-феремовски практична, эта странная хрипуновская мама, но практична без малейшей корысти — просто любила и жалела вещи, потому что они были красивые и надолго, а с людьми вокруг, угрюмыми, резкими, низкорослыми, вечно что-то происходило, да так быстро, что любить и жалеть их она просто не успевала.

В результате Хрипунов, вынырнув из своей многодневной смерти, не увидел положенных родных лиц, осунувшихся от долгого бдения и залитых слезами тихого счастья, и потому долго не мог определить себя ни во времени, ни в пространстве, вися в мутной, сопливой слабости и потихоньку разминая затекшие и онемевшие от долгого неупотребления основные чувства. Жизнь, вырвавшаяся из него почти мгновенно — словно кто-то махом выбил днище у маленького бочонка, — возвращалась медленно, осторожно трогая все кругом слабыми, неуклюжими, пугливыми щупальцами и, чуть чего, опасливо втягивая их назад... Сначала белое и неясное перед глазами сфокусировалось в скверно побеленный потолок больничной палаты, потом жжение в сгибе правого локтя оказалось капельницей, больно ужалившей в вену и не дающей шевельнуться, а жужжание вне и вокруг никак не объяснилось, но исходило явно из громоздкого аппарата, торчащего в ногах кровати. И когда Хрипунов с тихим удовольствием обнаружил собственные ноги, смирно и доверчиво лежащие под застиранным байковым одеялом, потолок над его головой вдруг затмила невероятная уродливая голова с перевернутыми, наоборот мигающими глазами и зияющим посреди лба шевелящимся ртом. Хрипунов даже вскрикнуть не сумел, парализованный инфернальным ужасом, как голова перевернулась, оказавшись толстой редкозубой медсестрой, которая, убедившись, что коматозный менингитник пришел наконец в себя, торжественно уплыла куда-то за пределы видимого Хрипуновым мира, громогласно призывая на судный осмотр какую-то Люську, которая не верила и говорила, что помрет, а как помрет, ежели не обирался, вот ежели б обирался, то помер бы непременно, а так — врешь, примета наивернеющая...

Раскаты медсестры еще не скрылись за дверью, как Хрипунов наконец понял, что действительно жив и что, пока он был мертвым, в мире произошло что-то странное, сделавшее его, мир, непонятным и даже неприятным, только Хрипунову пока было неясно что и в чем неприятность и непонятность, собственно, заключается. Потому он покорно дал примчавшейся Люське (она оказалась еще одной медсестрой, помоложе и значительно толще) себя ощупать и осмотреть, стоически и молча вытерпел несколько уколов и унизительный консилиумный осмотр еще трех теток в белых халатах, из которых одна была его лечащим врачом, а две другие — гинеколог и ушник — пришли просто от скуки и любопытства.

Через пару дней, когда ажиотаж по поводу ожившего пациента немного спал, кто-то сообразил, что мальчик, собственно, молчит как пень и на происходящее вокруг реагирует мало. Сперва решили было, что он оглох — такое сплошь и рядом случается после менингита, — но быстро выяснили, что слышит Хрипунов прекрасно, но вот жесткий диск, похоже, не выдержал перезагрузки...

По-хорошему, его следовало везти на обследование в область, потому что своего невропатолога в феремовской больнице не было, да и, несмотря на парк и легенды о незапамятных временах, не было и никакой интенсивной терапии. Роль реанимации простодушно играла самая обыкновенная палата, оснащенная аппаратом ИВЛ, доисторическим дефибриллятором да парой черствых от старости кислородных подушек. И уж конечно, это было не место для ребенка, которого принесли с больничной помойки, нестерпимо горячего, с запрокинутой, болтающейся, как у оттаявшего цыпленка, головой. Для ребенка, который первые сутки непрерывно и монотонно кричал от боли, а потом вдруг затих, вытянулся и еще девять суток пролежал в такой царственной синеватой неподвижности, что никто, собственно, и не подумал везти его в эту самую область, в настоящую больницу, да никто вообще не думал, что он когда-нибудь вернется. Но на десятое утро маленький Хрипунов открыл глаза. Сам.

Через несколько дней его — равнодушного, молчаливого и вялого, как перезимовавшая на балконе картошка, — перевели в общую палату. С ним, кстати, и обращались так же, как с перезимовавшей картошкой: иначе говоря, вертели, осматривали и перетаскивали, как вещь, очевидно, ненужную и бессмысленную, которую есть невозможно, а выбросить совсем как-то совестно. Все-таки ребенок. В смысле — еда.

———————◆◆———————

По всей стране — от Дамаска в одну сторону до Курдистана в другую — шепотом передавали друг другу, что тот, кто придет на поклон к Старцу Горы и выдержит суровые испытания, того Хасан ибн Саббах, даи Кабира, пророк и великий проповедник, удостаивает разговора наедине. Так сказать, личной аудиенции. И происходит на этой самой аудиенции что-то такое, от чего человек перестает быть человеком. И становится вернейшим псом Хасана ибн Саббаха, его беззвучным фидаином, в любую минуту готовым отдать свою жизнь по приказу Старца. Но взамен Хасан дает своим фидаинам...

И вот тут тугие мозги козопасов и овцеводов начинали бессильно буксовать. Болтали про пресловутый рай на земле и задастых гурий. Про золото, которого фидаинам отсыпали на кило живого веса. Мол, сколько весишь — столько и заберешь с собой. Про жуткий заговор от яда и клинка, который Хасан накладывал на своих воинов, а кто предавал дело Старца хотя бы мысленно — тот немедленно умирал, пронзенный всеми кинжалами и пиками, которые прежде отводил от него могущественный Хасан ибн Саббах, и каждый кинжал, каждое лезвие было пропитано смертельным ядом...

Словом, брехали так, что самим становилось стыдно. И как это водится, тыкали заскорузлым пальцем совсем рядом с беспомощной истиной. Потому что на самом деле были и сад, и долина, и дворец. И даже не один. Империя Хасана ибн Саббаха поглощала Персию со злокачественным аппетитом опухоли, достигая своими метастазами интимнейших закоулков изведанного мира. (Хотя, в сущности, какое зло может быть в опухоли? Просто содружество изголодавшихся клеток, нуждающихся в жизненном пространстве.) И во дворцах этих и в дивных садах действительно жили бойцы ибн Саббаха, иногда даже подолгу — оправлялись от ранений, проходили переподготовку, наконец, просто отдыхали. Переводили дух.

Но считать этот отдых, каким бы пятизвездным и олинклюзивным он ни выглядел, расплатой за преданность? Нет, своих фидаинов Хасан не обманывал никогда. Понимал, что нельзя заставить мужчину отдать его единственную жизнь за самку, какой бы сладкой она ни была. И за глоток запретной влаги тоже нельзя. Вообще нельзя ни за что вещественное. Поэтому цена за человеческую жизнь должна превышать цену самой жизни. И Хасан определил эту цену. Не сразу — но определил. И всегда расплачивался честно.

На самом деле стать фидаином было неслыханно сложно. Любопытные, зеваки, разнокалиберные мошенники и припадочные фанатики, стекавшиеся к Старцу Горы со всех сторон, отсеивались быстро и безжалостно — еще на подступах к Аламуту. Вся эта шушера, дожидаясь своей очереди на прием, оседала в ближайших деревнях и немедленно попадала в ласковые лапы бесчисленных агентов Хасана. Расторопные трактирщики, тихие старцы, услужливые зазывалы — все они быстро и незаметно отделяли зерна от плевел: подпаивали, отсеивали, запугивали, убирали слишком болтливых, чересчур впечатлительных, трусливых, откровенно сумасшедших, так что до встречи с отцами-командирами добирались только самые вменяемые и терпеливые. И те, кого специально завербовали особые агенты-шатуны, без конца сканировавшие Персию в поисках подходящего человеческого стройматериала.

Но и это было не все. Хасан знал, что каждую душу придется протрясти сквозь самое частое сито, пропустить сквозь самые мелкие ножи, чтобы потом никогда не вспоминать о получившемся человеческом фарше. И никогда не сомневаться в том, что из него можно вылепить все что угодно. Ему угодно. Потому первично отобранных долго проверяли на физическую выносливость (кросс по жаре с полной выкладкой, бой с ножом, рукопашка — в конце концов, Хасану не нужны были бракованные новобранцы, а даже одного пустячного спарринга на краю пропасти было достаточно для того, чтобы избавиться от неуклюжих). И еще дольше людей томили в напрасном, унизительном ожидании — так выяснялись заносчивые и просто нетерпеливые.

Прошедших и этот этап многие месяцы гоняли, как сидоровых коз, на высокогорных базах: тренировали уже по-взрослому, держали на голодном пайке и за малейшую провинность лупили — демонстративно и нешуточно, как в американских боевиках про спецназ. Так готовилось сырье для Хасана — воины, фуражиры, инструктора, послушное пушечное мясо. Боевые торпеды. И только очень, очень немногие из них удостаивались чести стать фидаинами.

Таких отбирал сам Хасан ибн Саббах, один раз в год наезжавший в свои военные лагеря с личной инспекцией. Разумеется, не было никакой помпы, никаких общих построений и торжественного принятия присяги. Разве что злее становились бритоголовые сержанты да необмятые новобранцы удивленно провожали глазами суховатого неприметного дядьку в халате, которого постеснялся бы и рыночный нищий. "Это и есть сам?" — "А ты думал, он в золотых подштанниках и ростом с гору, ишак?"

Хасан жил в лагере недолго — каких-нибудь пару дней, питался из общего котла, вместе со всеми урывками кемарил прямо на голых камнях, но по горам, понятное дело, не скакал, плечевой пояс мешками с песком не прокачивал да и в разговоры по душам подобравшихся солдатиков понапрасну не втягивал. Просто наблюдал. И перед отъездом непременно выбирал двух-трех кандидатов, далеко не всегда, кстати, самых крепких, а иной раз и откровенно ледащих с виду.

Отобранным предлагалось самостоятельно добраться до Аламута, стартовав одновременно с ибн Саббахом, — но пешком. И с условием прибыть на место раньше Хасана и другой дорогой. Условие непростое, если учесть, что проходимая для человека и животного тропа на Аламут была всего одна, а передвигаться ибн Саббах предпочитал на знаменитых курдистанских ишаках, выносливых и смирных, как пеоны. Ишаков этих считали самыми красивыми и сильными в мире и вывозили на экспорт даже в Индию, не стесняясь драть за каждую пару шелковистых ушей и исплаканных глаз аж по тридцать тогдашних увесистых серебряных марок.

Добирались до Аламута не все будущие фидаины, но те, что добирались, еще неделю сидели у подножия крепости, ободранные, страшные, по самые виски заросшие голодной сизой щетиной. Ждали. Пока в один прекрасный день из крепости не спускался молчаливый воин, чтобы вознести их на самую вершину. В логово Хасана ибн Саббаха. Великого Старца Горы.

Ножницы. Ножницы для резекции носовых раковин. Ножницы для роговиц тупоконечные прямые. Ножницы для синусотомии. Для рубцовых тканей вертикально изогнутые. Ножницы для стекловидного тела. Ножницы расширительные. Ножницы для рассечения плода

В общей палате к нему наконец допустили родителей, причем мать все полчаса чинно сидела на краю хрипуновской койки, неудобно натянув одеяло, и изо всех сил пыталась заплакать, а отец, насильно выведенный из запоя на три дня раньше положенного, маялся у дверей, опухший и мрачный, как бородавочник, едва выползший на свет из асфальтовой лужи. Хрипунов, вынужденный из-за бесконечных капельниц все время лежать на спине, долго рассматривал родителей со дна своего менингита неподвижными и яркими глазами, словно не узнавая или пытаясь сравнить их с каким-то далеким, полузабытым образчиком. Сравнением своим он явно остался недоволен (у матери на лбу прорезалась изумленная своей глубиной страдальческая морщина, а отец таращил красные, как волдыри, мокнущие, вспухшие глаза) и потому устало отвернулся к стене, давая понять, что аудиенция закончена.

Родители растерянно подождали какое-то время неизвестно чего, а потом вдруг разом суетливо снялись с места и, толкаясь плечами, вышли в больничный коридор, словно до этого бесконечно долго томились на вокзале и услышали вдруг, что их состав прибывает, слава те, ко второй платформе. И в коридоре уже, поймав за халат врача, хрипуновская мама наконец расплакалась, услышав, что непосредственной опасности для жизни — да, больше нет, но вот мозг, к сожалению, серьезно пострадал, мальчик ведь слова еще у вас не сказал, как очнулся, и, похоже, так и не скажет, что ж вы хотели, мамочка, — менингит, смотреть надо было за ребеночком лучше, ну да не убивайтесь вы так, дадут хорошую группу, и потом, есть же интернаты всякие, спецшколы...

На слове "интернаты" хрипуновский отец, доселе мутно и тяжело молчавший и как будто не очень понимавший, что к чему, вдруг очнулся и, обдав врача горячей похмельной вонью, внятно и яростно прокричал: "В дурдом сына не отдам!" — в первый раз самому себе признавшись, что у него есть сын, не кудрявый веселый Ванюшка, о котором неясно мечталось, а неприятный, тощий, чернявый, чужой паренек, но все равно — сын, етить вас ети в три господа бога мать! Прокричав это, старший Хрипунов снова обмяк, как выдернутый из розетки механизм, и — опять же первый раз в жизни — взял под руку собственную жену, и они пошли прочь из больницы, сгорбленные, уродливо спаянные общим гигантским горем, слитые наконец-то вместе — в одну семью...

На самом деле мозг Хрипунова ничуть не пострадал. Просто Хрипунов никак не мог поверить, что вернулся туда же, откуда ушел, — настолько все оказалось другим. И настолько неясно было: а можно ли этому другому хоть чуточку доверять. Он не помнил ни смерти, ни бесконечной комы — помнил только, что зачем-то оказался на больничной помойке и все боялся, что его застукает бабка Хорькова, и еще помнил, что видел рыжего котенка и что ужасно болела голова, а потом появилась женщина, которая не то наклонилась над ним, чтобы позвать, не то просто ему улыбнулась, и с этой улыбкой, с лицом женщины связалось ощущение удивительного и прекрасного покоя, Хрипунов мог бы сказать — гармонии, но, к сожалению, слова такого пока не знал.

Все свободное время (собственно, несвободного у него практически не было) Хрипунов старался припомнить эту женщину, но лицо ее туманилось и слепило, так что, кроме улыбки, ничего было не разобрать, да и та дрожала, как будто отраженная в воде, не принося больше ни радости, ни тем более успокоения. От бессильных этих ментальных упражнений быстро начинала ныть голова, а перед глазами повисал арахноидальный паук, которого невозможно было смахнуть рукой, хотя хотелось просто невыносимо. И потому Хрипунов научился часами пусто смотреть прямо перед собой, приоткрыв рот и отдыхая, так что даже лицо обмякало на больничной подушке — желтоватое, мягкое, как непропеченный блин из кислого теста. Выглядел он при этом настоящим клиническим идиотом и по-прежнему упорно ничего не говорил — в первую очередь потому, что никто его ни о чем и не спрашивал. Да и вообще — не больно-то хотелось.

Надо сказать, что идиотом Хрипунова не считала одна-единственная медсестра, та самая, что в момент возвращения напугала его перевернутым лицом. Вернее сказать, медсестра считала решительными идиотами всех, с кем сталкивалась, а потому вела себя совершенно свободно, так свободно, что оторопь брала — будто подсматриваешь чей-то кошмарный сон с падениями на неслыханную глубину и кровавыми струящимися драконами. Жирненькая, перетянутая лифчиком-трусами-платьем-халатом, как лакомая личинка, оснащенная парой кругленьких коротких ног и невероятным именем Анжелика, она носилась по больнице, с царской простотой тыкая всем, включая главного врача и бабку Хорькову. По всем поводам у Анжелики имелось собственное (кстати, оригинальнейшее) мнение, которое она высказывала, не давая оппоненту даже секундной задержки на то, чтобы осознать, что его только что намеренно обхамили, унизили, поставили на место, причем место это — с краю у параши и под номером семьдесят семь. Но хамила она так уверенно и бескорыстно и при этом была так очевидно (и невероятно) открыта окружающему миру, что никто не смел не то что роптать — даже обижаться. Коллег она не замечала, а вверенных ей обитателей символической реанимации звала "померанцами". Всё, разумеется, вслух — всё, ни на секунду не прекращая кипучей, громогласной, воистину насекомой жизнедеятельности.

В сущности, эта баба была единственным во всем Феремове по-настоящему свободным человеком. А может, и на всей планете. Хрипунов ее часто потом вспоминал. Даже чаще, чем дядю Сашу. И даже когда забыл почти всех.

Про дядю Сашу, между прочим, сказала именно она. Хрипунов к тому времени провел в больнице — в томительном ожидании то утренних уколов, то вечерней перловой каши — пару ничем не примечательных недель. Вокруг, шаркая тапками, харкая, заигрывая с сестричками, отчаиваясь и стеная, бурлила больничная жизнь, обтекая безмолвного Хрипунова со всех сторон, словно пустую целлулоидную игрушку. Он начал ходить — сперва не очень уверенно и охотно, потом все с большим и большим удовольствием. Уставшее от бесконечного лежания тело радовалось самым элементарным движениям — мимоходом тронуть рукой стену (теплая и шершавая), пройтись вдоль коридора (в левой коленке что-то щелкает, тапки липнут к полу и отклеиваются с чуть слышным лейкопластырным звуком) — даже от такой ерунды внутри Хрипунова становилось щекотно и хорошо.

Потихоньку он расширял ареал своего обитания и даже как-то спустился по извилистым пролетам на первый этаж и долго-долго стоял у распахнутого черного входа, прижавшись виском к дверному косяку и глядя в больничный сад, подвижный, прелестный и влажный, словно переводная картинка. Тут его и застигла Анжелика, тащившая охапку грязных простынок и пижам.

— Оклемался, померанец? — дружелюбно поинтересовалась она, пихнув Хрипунова плечом и ничуть не смущаясь ответным молчанием. — Скажи спасибо дяде Саше. Он тя с мусорки припер. Еще б на минутку опоздал — так на той мусорке тя б и прикопали, засранца. Чё мнешься, немтырь. Всё ты понимаешь. Все вы всё понимаете, сволочи такие, — благодарности тока от вас не дождесся. Поди-поди, разомни булки-то. Ничё у тя от спасибо не отвалится. Морг — вот он. Не заблудисся. А заблудисся — не велика потеря.

Она ушла уже, вильнув внушительным задом, а Хрипунов все стоял, распустив губы и глядя в нежно оперенные молодыми листьями кусты. Потом он вдруг дернулся, как робот, и, неловко загребая воздух костлявыми лопастями, побрел в сторону морга.

Никогда Хасан не скучал так отчаянно, как в дни этих фидаинских приемов. Смешно сказать — поначалу, едва придумав трюк с последним пунктом отбора, он волновался куда больше своих бесноватых горцев. У него даже ладони потели — честное слово! — когда в дом к нему вводили очередного мосластого избранника, который, прежде чем пасть перед владыкой ниц, успевал прощупать изумленными глазами маленькую прохладную комнатенку с каменным лежаком в углу и истертыми от времени дряхлыми подушками — а ведь наш Хасан вряд ли живет лучше, чем самый нищеблудный горшечник. Как они все этим гордились! Подчеркнутым аскетизмом своего вождя. Скромным и щеголеватым, как полуфренч.

— Поднимись, — тихо говорил Хасан распластавшемуся солдату. — Ты можешь задать мне один вопрос о своем будущем. — Любой.

Да, когда-то на этих словах у него у самого пересыхало горло. Сколько было споров, сомнений — подумать страшно! Голос был против — зачем будущее голодранцам, которые всю жизнь жрут один и тот же вонючий сыр? Они не понимают, что такое время, им все равно не за что зацепиться, они плавают в своей жизни, как тупое дерьмо в мутной воде. Оставь их, Хасан, ты придумал скверную шутку, никто не захочет играть в эту игру. Ни здесь, ни наверху. "Собачий поводок, безмозглая дудка, — шипел в воздух перед собой ибн Саббах, и люди вокруг него цепенели от ужаса, — разве я спрашивал твоего мнения, разве я хоть раз говорил, что вообще верю в то, что ты существуешь? Твое дело передать информацию, так передай информацию и перестань наконец поджаривать мои мозги, ты, дурацкий полупроводник!"

Они препирались яростно и азартно, словно дети, не поделившие коробку с разноцветным лего. Но Хасан оказался упрямее. И голос, вдосталь потоптавшись на его болевом пороге, был вынужден уступить и исчезнуть на пару дней — в ту пору ибн Саббах частенько пытался сообразить: если скорость распространения звука в воздухе при комнатной температуре составляет примерно 1220 км/ч, а голос при столкновении с проблемой, выходящей за пределы его компетенции, отправляется в совещательную командировку в среднем на сорок восемь часов (плюс-минус незначительные временные обрезки), значит Тот, с Кем голос консультируется, находится от Земли на примерном расстоянии...

Вы не поверите, но понадобилась куча времени, чтобы эта смешная задача перестала его интересовать. Куча времени и очень много боли.

А голос, разумеется, вернулся. Он всегда возвращался. И дал Хасану добро — тоже как всегда. Собственно, Хасан и припомнить не мог, чтобы ему хоть раз запретили что-нибудь всерьез. Только на этот раз в протокольной формуле одобрения (пусть будет так, досточтимый Сейид и даи Кабира, Хасан ибн Саббах, да продлит Аллах твои дни), дебильной и засахаренной, как любая протокольная формула, впервые прозвучала неслыханная прежде Хасаном искра хрустальной иронии.

— Ты издеваешься, что ли? — угрюмо поинтересовался ибн Саббах.

— Нет, — ответил голос. — Ни капельки. Ты же сам этого хотел. Так получи.

— И получу, — настырно сказал Хасан ибн Саббах, чувствуя, как сосет под ложечкой неприятное и незнакомое чувство. Потому что раньше Бог Хасана никогда не смеялся. Никогда.

Зонды. Зонд для адаптации концов разорванного слезно-го канальца, левый, правый (комплект). Зонд для атти-ка. Зонд желудочный для разделения спаек при операци-ях. Зонд зобный с отверстием. Конический для слезного канала. Зонд маточный. Зонд носовой Воячека пуговча-тый. Носовой копьевидный. Хирургический желобова-тый с пуговкой. Хирургический пуговчатый с ушком. Зонды для взятия соскоба. Зонд анатомический труп-ный с делениями

Cтупенька, ступенька, скрип, ступенька. Коридор. Тяжелый запах — Хрипунов подумал, что *тот самый*, но нет — киша-щие опарышем кошки на пустыре бла-гоухали сладко и концептуально, слов-но парфюм *Paloma Picasso*, а в морге было просто трудно дышать, потому что к сердцу *Ракш'ы* примешивались жесткие альдегидные ноты смертного страха и формалина. Потом дядя Саша как-то сказал, что единственное, к чему невозможно привыкнуть, — это трупный запах. Амундсен говорил то же самое про холод. Хрипунов уже в двенадцать лет знал, что единственное, к чему невозможно привыкнуть никогда, — это сама жизнь.

Несмотря на внешнюю неказистость (одноэтажный кирпичный домик, по цоколь вбитый в сытную больничную землю и романтично увитый кустами мохнатого боярышника), внутри морг оказался запутанным, ледяным и сложным, как мир. Хрипунов побродил по странным закуткам и молчаливым коридорам, несколько раз зачем-то поднялся и спустился по певучим — в несколько ступенек — лесенкам и наконец оказался в просторном предбаннике, который выглядел — в отличие от всего прочего — довольно обжитым. Если, конечно, слово "обжитой" вообще уместно в морге. Во всяком случае, здесь был вполне привычный стол с двумя стульями, совершенно нестрашная кушетка и вешалка, на которой мирно соседствовали мужской цивильный пиджак и медицинский халат, не слишком, конечно, чистый, но и не заляпанный ничем вроде крови христианских младенцев и ошметков их же христианских кишок. Взрослого человека, наверно, именно эти простые человеческие вещи и напугали бы больше всего, но Хрипунов вещей никогда не боялся, впрочем, он и до предбанника особенно по поводу морга не рефлексировал. Подумаешь — морг.

Заканчивался предбанник внушительной жестяной дверью, и, поскольку идти больше было некуда, Хрипунов навалился на эту самую дверь цыплячьим плечом, и она — с легкостью ночного кошмара — отворилась, и там, за дверью, в полутьме, оказался гигантский, за горизонт уходящий, металлический стол, и с этого стола — сияя прелестным стеариновым лицом из его сна — прямо навстречу Хрипунову стремительно села девушка. Голая. И совершенно мертвая. Хрипунов попятился потрясенно, закрываясь рукой, как будто из прозекторской рванулось ему в глаза голодное взлохмаченное пламя, споткнулся о порог и вдруг заорал, натягивая и калеча голосовые связки, страшнее, чем орал от менингита перед своей помойной смертью, но зато впервые за долгие недели разумно и совершенно по-человечески. НЕ ОНА, орал он, НЕ ОНА, НЕ ОНА!!! — пока перепугавшийся дядя Саша не уронил свою упокойницу, которую сам же и посадил на минуточку, чтобы поправить волосы и половчее добраться до черепа (после трепанации скальп аккуратным окровавленным чехлом натягивается на лицо), и не кинулся к Хрипунову, растопырив толстые резиновые пальцы. А тот все орал, закатываясь и тряся головой, — НЕ ОНА!!! И это действительно была не она. Просто мертвая девушка. Совсем другая.

Во-первых, через пару дней Хрипунова вчистую выписали из больницы — как заговорившего и не оправдавшего медицинских надежд.

Во-вторых, дядя Саша оказался самым обычным человеком. Лысым, хромым, из морга — но человеком.

В-третьих, Хрипунов наконец понял, что вокруг не так. Люди. Они оказались чудовищно, разнообразно и безрадостно некрасивы. Даже хрипуновская мама. Все.

Невозможные уроды. Просто Хрипунов этого раньше не замечал.

*Кусачки. Кусачки Дальгрена для взрослых. Кусачки Даль-
грена для детей. Кусачки дистальные (безопасные). Кусачки для гемиламинэктомии. Кусачки для первого ребра.
Кусачки для сосцевидного отростка (по Янсену). Кусачки
Егорова—Фрейдина. Кусачки костные для операций на позвоночнике (для межпозвонковых дисков). Костные для операций на позвоночнике, окончатые для скусывания дужек
позвонков. Кусачки прямые. Реберные универсальные с изогнутым ножом. Кусачки с полукруглыми губками мощные*

Ты можешь задать мне один вопрос о своем будущем. Любой.

Они все зависали на этих словах — почти на несколько минут. Соображали.

И всегда — все, — обдумав и перебрав,
как четки, свои убогие желания, просили одно и то
же. Все и всегда. Так что Хасану иногда едва хватало
терпения дождаться привычной просьбы.

Я хочу увидеть свою смерть.

Хасан утомленно кивал, голос быстренько подкручивал настройки, и следующие несколько минут проходили в священном молчании. Неподвижный Хасан ибн Саббах (колени у подбородка, затылок холодит стена), пыльные световые столбы, тихое стрекотание в воздухе и коленопреклоненный человек, уставивший прямо перед собой выкатившиеся глаза (лоб, усыпанный перловкой ледяного пота, трясущиеся руки, смертный ужас, с которым не справлялось даже жужжащее персидское солнце). Один нервный бедолага так и помер прямо во время сеанса от острой сердечной недостаточности, и последней картинкой, которую он успел увидеть, был он сам, падающий головой в ноги невозмутимого Хасана ибн Саббаха. "Когерентность смерти", — раздумчиво отметил голос. Неплохое название для романа.

Другие выживали, хотя многих приходилось лупить по щекам и окатывать драгоценной водой, чтобы вложить в потрясенную голову самую главную истину: все в этом мире коловратно, парень, придешь через год — мультик может оказаться совсем с другим сюжетом, ибо все в руках Хасана ибн Саббаха, великого и всемогущего, — так готов ли ты стать его верным фидаином? Кто бы сомневался. А теперь пошел в распоряжение Исама, пес. Увидимся через год.

И они служили. Рабски, беспрекословно, фанатично, неслыханно, с огоньком. Как никто никогда и никому не служил на этой земле. Ни за какие мыслимые почести и блага. Чтобы раз в год, дрожа, прийти в дом Хасана ибн Саббаха и увидеть там свою смерть. Увидеть. И не умереть.

Лопатка Буяльского для оттеснения внутренностей. Лопатка роговичная для инородных тел желобчатая. Лопаточка для разделения тканей

В морге было все по-другому. Сперва Хрипунов заскакивал туда пару раз в неделю — посидеть в предбаннике, степенно раскачивая тощими ногами в растоптанных сандалетах, и попить с дядей Сашей чаю с хрупкими пожилыми баранками. Все равно делать нечего — каникулы же. Иногда предбанник оказывался пустым. Тогда Хрипунов, шустро обшарив морг (который с каждым разом становился все меньше, все теснее и все привычнее), возвращался к жестяной двери и тихонько, как дворняжка, скреб ее передними лапами, мечтая, что дядя Саша не просто выйдет через минуту, волоча ногу и привычно горбясь, а пригласит Хрипунова туда, внутрь, к жутко-

141

му столу, на котором, по хрипуновскому разумению, все еще сидела, раскинув по плечам рыжеватые волосы, девушка с круглой желтой грудью (остального Хрипунов не разглядел) и удивительным лицом. Твердым, неподвижным и идеально прекрасным. Не то что у живых.

Но дядя Саша не приглашал (хватило тогдашнего ора), а наоборот, норовил выхромать из прозекторской побыстрее и дверь за собой закрывал с таким неожиданным проворством, что Хрипунов не успевал углядеть ничего. Ну просто совершенно ничего! Оставалось только пить чай из ворчливого чайника с розеткой в металлической попе да изредка перекидываться с дядей Сашей пустыми словами. Такими редкими и осторожными, что на выяснение дяди-Сашиной истории у Хрипунова ушло чуть ли не шесть лет. Вполне достаточно для дружбы санитара из морга и феремовского щенка с недетскими проблемами в голове и странными пробелами в родословной.

На самом деле в окончательной редакции, улучшенная и дополненная, биография дяди Саши оказалась куда скромнее тех фантастических саг, что слагала о нем местная урла. Ни цыганам, ни Котовскому, ни фашистам, и уж тем более — космической центрифуге не нашлось места ни в массовке, ни даже в примечаниях. Дядя Саша был врач. Хирург. Молодой, одаренный, подающий прекрасные надежды, преуспевающий по всем статьям, по которым и положено было преуспевать в славном 1956 году. Будущее его было безупречно, предсказуемо и прозрачно, как чистый медицинский спирт, которым он

и ужрался как-то вечером с коллегой по ординаторской до самых настоящих розовых слонов — толстых, торжественных и бесшумных. А когда какими-
то секундами позже морщинистые и причудливые
слоновьи зады побледнели и растворились в пульсирующем воздухе, дядя Саша обнаружил себя все
в той же ординаторской, все под той же голой злой
лампочкой, жужжащей на красном перекрученном
поводке. И все с тем же коллегой. Только коллега зачем-то валялся на полу, пуская ртом хриплые преаго-
нальные пузыри и покачивая рукоятью столового
ножа, который кто-то (слон?) с профессиональной
щеголеватостью загнал ему чуть пониже левой клю-
чицы.

Да, не повезло дяде Саше, ой не повезло. Что с того, что он, мигом (и на всю оставшуюся жизнь)
протрезвев, сам вызвал милицию и с перепугу зачем-то скорую — это в больнице-то сидя, в одном
лестничном пролете от интенсивной терапии. Что
с того, что до приезда милиции и возмущенной скорой (охуели вы там в своей Первой, что ли?) он ока-
зал пострадавшему первую помощь — в сто раз лучше, чем по учебнику: дезинфекция, первичная обра-
ботка раны, повязка. Да он на собственных пальцах
подключичную артерию держал, у покойника уже,
когда и крови никакой больше не было и быть не
могло — так что милиция его от тела еле оттащила,
а дядя Саша все бормотал — я сам его прооперирую,
я умею, я сам прооперирую, сам, сам, сам... Что было
толку, если в связи с ходатайствами граждан 30 апре-
ля 1956 года Президиум Верховного Совета принял

Указ "Об усилении уголовной ответственности за умышленное убийство". И получил дядя Саша — со всеми смягчающими и отягчающими — чистую пятнашечку строгого режима. А мог бы и все двадцать пять.

На его счастье, в Вятлаге вместо полагавшихся по штату девяноста двух врачей имелось только двадцать девять. А потому отсидел дядя Саша спокойно, и даже не без некоторого комфорта. И через десять лет — за доблестное лечение туберкулеза, дистрофии и бесчисленных бытовых травм — был освобожден условно-досрочно. Постаревший на целую эру. Совершенно лысый — скорее от переживаний, чем от цинги. Хромой — это уж сам дурак, упал на ровном месте и сам же себя неудачно зашинировал, ну а как зашинировал — так и срослось. А ломать кость заново сил не было. И так переломано все. До основанья и затем.

Но — вышел. В кепке. С фанерным чемоданчиком в руке. Сперва из лагеря. Потом — методом научного тыка — на феремовском полустаночке. Лишь бы равноудалиться и от Кайского (по-нашему Верхнекамского) края. И от Москвы. Потому что дядя Саша ведь был из Москвы. Для Хрипунова это звучало — как с того света. Хотя никакого этого света, если вдуматься, у Хрипунова и вовсе не было. Одна сплошная серая мгла.

В Феремове все сразу сложилось необыкновенно удачно и даже празднично. Дядю Сашу мигом взяли в морг — санитаром, конечно, и на копеечную ставку, но зато с правом проживания в том же самом мор-

ге. Очень удобно. Там все условия имеются. Но самое
главное, в морге дядя Саша снова начал оперировать.
На трупах, разумеется. И тайком. Но оперировать!
О-пе-ри-ро-вать! Понимаете, Аркадий? Я снова мог
работать.

Ясное дело, никто бы не взял дядю Сашу в операционную. Но вот проводить аутопсию... ну и что, что
он не имеет права подписывать заключение? Заключение вон хирург наш подмахнет, все равно он патанатомом у меня числится на полставки, чертов алкаш. Ну и что, что нельзя было поручать врачу проверять свои собственные ошибки, Иван Иваныч, я сам
знаю, что нельзя, но ты найди мне человека, который приедет в нашу жопу трупы ковырять! Или, может, мне тебе в облздрав покойников на вскрытие
присылать? Я могу! Только машину мне давай. И бензин. И новый холодильник! У меня в морге холодильник вот-вот сдохнет, я тебе тогда трупы в бочках буду
отправлять — на розлив. А санитар мой у самого Попова оперировал. Ему аутопсию провести... Да не
ору, не ору... Извини. Просто нервы.

Нет, все-таки феремовский главврач был неплохой мужик. И даже выбил дяде Саше пиратскую
сверхурочную десятку. За гиппократову вредность.
А что дядя Саша удалял у покойников аппендиксы
да тайком ковырялся в их мертвых желчных пузырях, так кому от этого было плохо? Безутешные родственники получали родное тело обмытым, напомаженным и в положенный срок, а что с лишними
швами и недокомплектом некоторых органов, так
кто ж их будет, эти органы, считать, ежели сперва

поминки в день похорон, а потом семь дней, да девять, да сороковины... Не всем удавалось опомниться и перестать обмывать потерю даже через год неустанных скорбей — обстановка, идеальная для творчески настроенного врача с убийством и каторгой в анамнезе.

Исключение было одно-единственное — Исам. Криво- и коротконогий, сутулый, немолодой. С плоским нездешним лицом и жутковатыми раскосыми глазами. Черт его знает, откуда и забрел в наши края. Но по-персидски говорил совершенно свободно, разве что чуть редуцировал гласные — непривычно ленивому и протяжному местному уху. А на каком языке пела Исаму колыбельные родная мать, он и сам помнил вряд ли. А если и помнил, то предпочитал помалкивать.

С Исамом все было по-другому, с самого начала. Он пришел сам, сославшись на Умара ал-Аффана, исфаханского юродивого, полудурошного нищеблуда и лучшего вербовщика, которого только знал ибн Саббах, и когда Хасан — потом, потом, много потом — попробовал разузнать, где старый лис откопал драгоценную находку, верные люди донесли ему, что Умара давным-давно нашли на городской площади, под утро, ледяного, с жутким перекошенным лицом, но совершенно целого. Ни единой дырки на теле, кроме тех, что предусмотрел Аллах, милостивый и всемогущий. Ни следа яда. Ни человеческого следа. "Видно, увидел живого джинна, и не выдержало сердце", — предположил Исам, уже незаменимый настолько, что смел предполагать вслух. Хасан коль-

нул его взглядом и услал куда-то — прочь, подальше,
не искушай меня, брат, не заставляй проверять на
обычную человеческую смертность... Мне нужен кто-
нибудь, кому можно хоть изредка доверять. Ты мне
нужен. Потому с глаз долой, собака. Иди лучше по-
спи, с ночи ведь на ногах, носишься как оглашен-
ный, как молоденький, а лет-то тебе на самом деле...
сколько, а, Исам? Имею я право знать о тебе хотя бы
такую малость?

В тот день, когда пришел Исам, Хасан опух уже от
скуки, отбирая фидаинов — будто киномеханик, обреченный в тысячный раз смотреть одну и ту же немую пленку с древним комиком в главной роли
и несмешным полусмытым концом. Он даже задре-
мывал иногда — на секунду-другую, — как шахтер-
ская кляча, вынужденная брести все по тому же ко-
роткому кругу, и очнулся, когда Исам уже был в доме,
и не на пузе елозил, как положено перед Старцем
Горы, а просто стоял на коленях. Причем похоже, что
не из особого почтения, просто так удобнее было
смотреть ибн Саббаху в лицо.

"Приветствую тебя, досточтимый Сейид", — завел он привычную волынку, но, прерванный недо-
вольной ладонью Хасана — давай покороче, прия-
тель! — охотно замолчал, опустил крепкую задницу
на босые пятки и, не дожидаясь никаких вопросов
и предисловий, сказал в воздух перед собой: "Девятьсот шестьдесят третий и второй, пожалуйста. Разумеется, две тысячи". Будто заказывал суп с гуляшом
в придорожной забегаловке. Ибн Саббах и опомниться не успел, ошалелый от того, что — первый

и единственный на его веку — человек не интересуется собственной смертью, а лопочет какую-то хрень, непонятную белиберду, — какой бестолковый шакал допустил ко мне сумасшедшего? — как голос что-то подсоединил, замельтешили какие-то полосы, лица, одно почему-то смутно и неприятно знакомое... И вот уже псих удовлетворенно кивает головой — ну, в общем и целом, все как я и предполагал, — и ползет — наконец-то! как положено! — к ногам ибн Саббаха, и целует его сухую руку, и говорит: меня зовут Исам. И я буду служить тебе, Хасан, столько, сколько положено...

И служил. Даже вернее тех, кто верой и правдой. Так служил, что Хасан ибн Саббах — неслыханное дело! — простил Исама целых два раза. В первый раз за то, что тот наплевал на собственную смерть. И во второй раз — за то, что догадался заглянуть в будущее так далеко, как не догадывался заглянуть и сам Хасан ибн Саббах. А может, и не догадался бы.

Нет, конечно, он спросил потом у голоса — нехотя, как бы между делом, нарочито вскользь, — что за цифры такие дурацкие, что за даты, к чему такая даль, что это за тип такой вообще приперся по мою голову? Что там будет между незнам каким шестьдесят третьим и неведомо вторым? Это от какой, вообще, точки отсчета? "Поистине, Рай ближе к каждому из вас, чем шнурки его сандалий, но и Ад не дальше", — так же уклончиво пропел голос, и понимай его как знаешь, а ведь не придерешься к мерзавцу, потому что всем известно, что каждый волен толковать Коран так, как ему подсказывает душа.

— А если души нету? — угрюмо поинтересовался Хасан.

— Тогда надо ждать, — посоветовал голос и, выдержав моэмовскую паузу, пояснил: — Исам — значит "охраняющий".

Вопрос был закрыт. И Исам остался с Хасаном. При Хасане. Надолго. Но все-таки не навсегда.

Молоток анатомический с крючком. Молоток хирургический деревянный. Молоток хирургический металлический с накладкой. Набор для фиксации мыщелков и лодыжек

Характер у Хрипунова был, конечно, конкретный. Но все равно — пластилин по сравнению с дяди-Сашиной судьбой. Потому пришлось все-таки, как Хрипунов ни упирался, первому показать глазами на волшебную дверь: "Можно, дядя Саша?" — "А орать не будешь?" Крутит отрицательно черной жесткой головой, смотрит в пол — откуда он взялся такой чернявый среди феремовской белесоватой, рыжеватой, соломенной нежити? Странный такой пацанчик. Чудной. Чем-то от него этаким всегда веет... Нездешним. Часами молчит, как самый банальный уездный дебиленыш. Не то слушает, не то кемарит. А потом поднимет глазищи — надо же, совершенно рыжие! — и коротко спросит: это что? Ретрактор. А это? Ампутационная пила Шарье. Во вскрытии и для взрослого врача приятного мало — все-таки почтение к покойникам у нас в кровяных тельцах, а тут вам полноценное разделывание туши по всем правилам. Мясокомбинат для мертвых. Доктора с солидным стажем иной раз блюют, как первокурсницы. А этот сам притащил из предбанника табуретку повыше и сидит за спиной, болтает тощими детскими лапами. Молчит. Вам сколько лет, Аркадий? Двенадцать? Молчит. Смотрит прямо в отверстое (от шеи до лобка) пузо тощего феремовского каучуковара, безвременно покинувшего этот дивный, дивный мир по причине, которую мы сейчас с вами, Аркадий, выясним, хотя, по-моему, все ясно и так. Жировая дегенерация печени, дуоденальная язва... Хрипунов согласно кивает, по-прежнему не произнося ни звука: скальпель дяди Саши двигается с проворным изяществом живого существа, как будто кошка перебегает дорогу, вот остановилась на мгновение, дико смотрит через плечо, мышцы все еще текут под гладкой шкуркой. Асцит, варикозное расширение вен ЖКТ...

Аркадий? Хрипунов кивает еще раз. Да, он здесь. Он на месте. На своем месте. Наконец-то.

Зажим для почечной ножки Мейо. Артериальный зажим Уэлла. Артериальный зажим Негуса. Артериальный зажим Потта (склемма Потта). Зажим сосудистый для частичного бокового пережатия, вертикально изогнутый. Зажимы для временного пережатия магистральных сосудов

Первого сентября, после занятий, когда школьные парни потянулись к традиционным елочкам за школьным двором (подальше от завучева зрака и шизоидного дворника) покурить и потрепаться о бабах, Хрипунов, не обращая внимания на призывный свист, прошел мимо — и столько было в его дворовой перевалочке невиданного, взрослого равнодушия, что его даже бить не стали. Оставьте, пацаны, он же дурак теперь, ему летом в больничке черепушку вскрывали. Ага, пилой. Хрипунов не обернулся, так и ушел, неторопливо подпинывая сплющенную консервную банку. Чего ему было слушать дебильные слюнявые сказки про подсмотренные в бане буфера. За три летних месяца он видел десяток настоящих голых женщин — причем видел и снаружи, и изнутри. А к Новому году дядя Саша обещал подарить ему анатомический атлас. Выучите наизусть, Аркадий, тогда и поговорим о возможной практике, а пока просто наблюдайте. Сегодня я покажу вам резекцию дивертикула Меккеля. Банальнейшая, в сущности, операция, но можно провести по-настоящему изящно.

С тысяча девятьсот семьдесят шестого и по тысяча девятьсот восемьдесят первый год ни один покойник из дяди-Сашиного морга не отправился в иной мир без хрипуновского шва, сначала неуверенного, грубого, но от трупа к трупу все более элегантного и даже щеголеватого. Аппендэктомии, грыжесечения, холецистэктомии, ампутации почек, резекции желудка, снова аппендэктомии — и все равно Хрипунов мечтал оперировать лица, создавать лица, придумывать лица. Но уродовать головы усопших дядя Саша запрещал, и правильно делал, и потом, на покойниках все равно ничего не заживало. Швы так и оставались швами. Тем не менее восьмой класс Хрипунов закончил без единой тройки и, ко всеобщему священному ужасу, отправился не в ПТУ, не на завод, не на зону, а в старшие классы. Этого вообще никто не понял, даже в школе.

А мать только и сказала мимоходом: "Чё это ты?" — и навалилась мягкой грудью на утюг, так что пододеяльник зашипел и сморщился от боли. "В институт хочу. В медицинский". — "В медици-и-инский". Не то переспросила, не то повторила, привычно глядя поверх хрипуновской головы своими ртутными, непроницаемыми глазами — так, кажется, и не поверила, что он тогда не умер. Или не поняла, что родился? Мать сложила отмучившийся парной пододеяльник — уголок к уголку, взяла из кучи отцовскую рубаху, вздохнув, набрала в рот воды и окатила ссохшуюся клетчатую ткань радужным бисерным фонтаном. Хрипунов постоял рядом еще минутку, неуклюже переминаясь. Подождал. Потом вытер влажное лицо ладонью и пошел к себе в комнату — заниматься.

Отец, правда, забухтел было про "хули еще два года груши околачивать, дармоед", но он уже здорово к тому времени сдал — обмяк, пожелтел, обрюзг, словно выдохшийся воздушный шарик. Хрипунов — прямо сквозь пропотевший пиджак и косые брюшинные мышцы — видел, как разбухла его переродившаяся печень. Сколько раз он рассекал такую беззвучно скрипнувшую уродину скальпелем, под дяди-Сашин укоризненный рокот — опять цирроз, Аркадий, вы только подумайте, что делают с собой эти изверги! Хрипунов мысленно отвел отцу лет пять — на торжество разложения, и отец не подвел, не стал срамить начинающего диагноста, умер, как и велели, но предварительно долго скучал в больнице с нескончаемым гепатитом, и мать ежедневно носила ему компромиссные сырники с ободранной шкуркой (творожное можно, жареное нельзя) и ягодные кисели — мутные, тепловатые, розовые, как сопли из разбитого носа.

Хрипунову сообщили в армию, когда он умер.

Потому что Хрипунов ведь ушел в армию. В 1981 году — полноценным хирургом с обширной практикой и целым кладбищем благодарных пациентов.

ЧАСТЬ ТРЕТЬЯ
Деяние

Краевой разрез. Отделяем хрящи кончика носа от вышележащего наружного кожного слоя. Вот так. Почти до конца. Крови совсем мало — на операциях почти никогда не бывает крови. Точнее, бывает, но это кровь укрощенная, нестрашная, ее мгновенно впитывает разумное, многорукое, тысячеочитое и жестокое существо, в которое превращается на время операции хирургическая бригада.

Колюмелярный разрез. Начинаем оголять наружный слой хрящей, которые формируют кончик носа. Хрящи желтые, солнце белое, кровь красная... Слишком много крови! Две столовые ложки кровопотери за двухчасовую ринопластику считаются хорошей рабочей нормой. Хрипунов никогда не тратил так много: что за глупости — при чем тут гуманизм, ему просто не нравилась кровь. Она была чересчур живая для того, чтобы выглядеть гармоничной. Мешала.

Бровь чуть-чуть поднимается, судорога недоволь-
ства пронизывает операционную, и Хрипунов физически ощущает, как поджимаются мошонки и леде-
неют спины окружающих его коллег. Никаких баб
в операционной. Лучшая хирургическая сестра —
это сорокалетний кандидат наук. Сорокалетний кандидат наук, который не умеет угадывать мысли, —
неудачник и профессиональный идиот. *Слишком
много крови!* Воздух звенит от молчания, лиловый
скальпель яростно воздет в стерильное небо, по виску со скоростью ледника ползет торжественная ка-
пля пота. Наконец, из ниоткуда возникает провор-
ная глянцевая перчатка, виновато суетится, восста-
навливая идеальный порядок. Его собственные
пальцы не могли бы управиться быстрее. Впрочем,
здесь все пальцы — его собственные.

Через секунду мир вновь замирает в точке золотого
сечения. Хрипунов возвращает бровь на место и слышит, как операционная беззвучно и облегченно пере-
водит дух. Больше ни один из них не посмеет сбиться
с синкопического ритма. Ни один не посмеет вести
себя как живое самостоятельное существо. Это потом,
в ординаторской, они распадутся на отдельные части,
будут жрать спирт, перешучиваться и нудно грызть
друг друга за случайные промахи и чертовы привычки.
Над столом, затянутые в зелено-лиловую форму, безли-
кие, безмолвные, безотказные, они всего лишь нейро-
ны и рецепторы одного-единственного Бога — безжа-
лостного и всемогущего. Имя которому Хрипунов.

Продолжаем отделять наружный слой. Ножницы
на миг замерли на вершине правого хряща — у само-

го кончика носа. Тихий скрип — как будто опасной бритвой распарывают натянутое мокрое полотно. Хрипунов знает, что никакого скрипа нет — это обман, просто его глаза видят, как сталь освежевывает лицо, и подкладывают под картинку подходящий звук. То же самое испытывают женщины, когда в примерочной прижимают к груди новые платья и сами верят в то, что красный оживляет, а черный стройнит. Кстати, на операционном столе перед Хрипуновым почти всегда женщина. Ему нравится оперировать женщин. Они ближе к гармонии. В них еще можно найти хоть что-то красивое — поворот шеи, разрез глаз, линию скул. Насчет скул, впрочем, он погорячился — правильно вылепленных женских скул почти не бывает в природе, скулы — это основа, скелет истинной красоты. Именно от них зависит все остальное — включая судьбу. Но иногда на неправильные скулы так волшебно падает правильная тень, что Хрипунов чувствует себя почти счастливым. К сожалению, всего пару секунд, не больше. Хотя кто знает — может быть, дольше просто не выдержало бы сердце.

С мужчинами таких метаморфоз никогда не происходит. В массе своей мужчины — неинтересные уроды. Хрипунов честно не понимает, зачем они нужны. Впрочем, по большому счету женщины не нужны ему тоже. Он выше этого. Он выше кого угодно. Когда операция закончится и оставленные им раны стиснут безупречно ровные рты, в мире станет чуть-чуть больше прекрасного. На одну каплю. Но когда-нибудь — Хрипунов не сомневается — он соберет эти капли в одно идеальное лицо. И тогда в мире снова воцарится Бог.

Кожа — микрон за микроном — продолжает отслаиваться. Теперь видны носовые кости, и, если мысленно удалить с лица оставшуюся мякоть, легко представить себе, какой из пациентки получится череп. Препаршивый. Судя по вдавленным вискам и бульдожьей челюсти, она классический висцеротоник — жирная, плотоядная, жизнерадостная сорока-с-лишним-летняя свинка.

Хрипунов знает, что, получив новый нос, она непременно вернется — на абдоминопластику, липосакцию, блефаропластику, маммопластику или мастопексию. Директорши, председательши правлений, главные бухгалтерши, выбившиеся в деньги задорные инструкторши райкомов и обкомов, — они обычно не заморачиваются терминами, а прямо так и заявляют: доктор, подберите мне брюхо и сделайте модные сиськи!

Хрипунов делает. И отсасывает. И подбирает. Эти тетки нравятся ему больше анемичных моделей, модных любовниц и заезженных актрис. Теток интереснее оперировать, с ними интереснее болтать. Они чудовищны, самостоятельны, полезны, вездесущи и, отслюнив за осуществленную мечту котлету наличных, наивно норовят сунуть доктору коробку конфет или коньяк — родом еще из советской системы бесплатного здравоохранения. Хрипунов помнит: именно такие тетки сделали его тем, кем он стал, — богатым, преуспевающим и модным человеком. Столичным хирургом с клиникой и репутацией. Но каждый раз, надрезая им кожу за ушами или орудуя в их сальных валиках крошечной хрипящей канюлей, он жалеет, что не может пересадить им новые мозги.

Теперь костно-хрящевой выступ полностью обнажен. Резекция верхнелатеральных хрящей с помощью углообразно изогнутых ножниц. Скальпель № 15. Тыльная часть носовой перегородки. Кость скальпелем, к сожалению, не возьмешь — ее стачивают долотом. И доводят до ума рашпилем. Теперь лицо перед Хрипуновым зияет черно-окровавленной дырой. Костная пирамида чересчур широка. Нужна коррекция обширной "открытой крыши" — клиентка платила за узенький носик. Хрипунов пытался объяснить, что узенький носик на физиономии коренастой пожирательницы макарон будет выглядеть... э-э-э... "Хосподи, Аркадий Владимирыч, да не могу я больше жить с этим горбом! Сделайте, штоб как у Клавки Шифер! А я вам в лизинг «икарусов» дам. Да почему ж не нужны? А из знакомых кому? У меня самые прямые поставки!"

Шифер, безусловно, повезло. Ее носик достался ей без остеотомии (снизу вниз с дополнительной медиальной косой остеотомией). Двухмиллиметровое долото. Крошечный надпил. Как маленьким лобзиком. Еще один. Хрипунов мягко кладет пальцы на обнаженную переносицу клиентки и прикрывает оранжевые глаза. Воздух вокруг него густеет и становится стеклянным от жара и напряжения, как в апокрифах. Он больше не человек, в его пальцах нет ничего человеческого — в операционной все это чувствуют, даже те, кто оперирует вместе с Хрипуновым по десять лет.

Раздается долгий, отвратительный, беззвучный хруст. Перелом по типу "зеленой ветки". Хрипунов разжимает пальцы и, не открывая глаз, улыбается — они не могут видеть этого под маской, но они видят: совершенно неподвижные веки, спокойный лоб и — сквозь слои стерильной ткани — крупные, выпуклые, белые зубы в треугольнике растянутого, оскаленного рта. Один молоденький перспективный аспирант, мечтавший о пластических лаврах и с боем прорвавшийся на знаменитую хрипуновскую ринопластику, почувствовав эту улыбку, упал в обморок. Остальные просто сжимаются, и опускают глаза, и сглатывают тошнотворный комок, как будто самолет ухнул в воздушную временную яму, и нет уже ни операционной, ни кресел, ни пробежавшей по проходу многоногой стюардессы — только смуглый мальчишка сидит на солнцепеке в мохнатой, нездешней пыли и лепит грязными пальцами неуклюжих глиняных воробьев, и поднимает голову, и смеется, и даже через тысячелетия невозможно разобрать — что у него за лицо.

Наконец Хрипунов поднимает веки и обводит операционную бригаду спокойным взглядом. Вряд ли он хоть что-то заметил. Перелом по типу "зеленой ветки" для пластического хирурга — обычнейшая манипуляция. А что у Хрипунова она всегда получается с микронной точностью и без малейших осложнений, так профессор Гроссман на лекциях по общей хирургии частенько говорил: "Коллеги, извольте больше упражняться и меньше ковырять своим рабочим инструментом в неподобающих местах. Я имею в виду пальцы и нос, коллеги, исключительно пальцы и нос. А не скальпель и задницу, как вы посмели вообразить".

Хрящевые трансплантаты — чтобы предотвратить спадение верхнелатеральных хрящей. Тыльный трансплантат. Два боковых. Операция идет своим ходом, все давно забыли о смерти, демонах и воробьях — в конце концов, ни к чему не привыкаешь так быстро, как к настоящим чудесам. И только анестезиолог, крупная изнеженная особь, латентный педераст и рериханутый бытовой сатанист, все томится у своих аппаратов, бормоча про блажен Тот, кто был до Того. Он давно заметил, как аномально быстро оправляются от операций хрипуновские пациентки, как идеально заживают их идеальные швы. "Душка, просто волшебник, золотые руки", — лепечут московские барыни, передавая друг другу скромную хрипуновскую визитку. "Когда вы сделаете двоих одним, и когда вы сделаете внутреннюю сторону, как внешнюю сторону, и верхнюю сторону, как нижнюю сторону, и когда вы сделаете мужчину и женщину одним, чтобы мужчина не был мужчиной и женщина не была женщиной, когда вы сделаете глаза вместо глаза, и руку вместо руки, и ногу вместо ноги, образ вместо образа, тогда вы войдете в Царствие", — шепчет анестезиолог, и желудок его терзают спазмы ужаса и страсти.

Он обожает Хрипунова, как безмозглая институтка.

Хрипунов никогда не может вспомнить, как его зовут.

Нож для рассечения фистул брюшистый. Нож для рассечения фистул остроконечный. Нож для резекции носовой перегородки по Балленжеру. Нож для слизистой оболочки слезного мешка. Нож катарактальный малый. Нож медицинский мозговой. Нож резекционный брюшистый. Роговичный. Хрящевой реберный. Нож-долото. Ножи для расслаивания роговицы. Нож-канюля

К семидесяти годам Хасан перестал спать и стареть. Ночами он выходил из своего душного домишки и до рассвета бродил по крепости — угрюмый, истерзанный болью, в накинутом на мосластые плечи толстом халате. Фидаины, терпеливо караулившие на сторожевых башнях чью-нибудь случайную смерть, вздрагивали от беззвучных шагов хозяина, но он никогда не останавливался, чтобы похвалить их за собачью преданность, и все кружил, кружил в сочной сердцевине ароматной персидской ночи, пока не начинали гудеть натруженные за долгую жизнь жилистые колени. Тогда ибн Саббах шел к укромному уступу у самой крепостной стены и медленно садился там на остывающий плоский камень, вытянув ноги и привалившись затылком к несокрушимой кладке, — невидимый для охранников, бессонный, страшный, со сбившейся набок седой жидковатой бородой. Он сидел так часами, не шевелясь, то коротко задремывая, то с удивлением разглядывая собственные пальцы — сухие, желтые, как будто костяные.

Фидаины изо всех сил — до мучительной рези — выворачивали блестящие глазные яблоки, пытаясь угадать момент, когда Хасан ибн Саббах поднимется наконец из своего укрытия. Но уступ загадочно молчал, как будто и не таил в себе живого человека, и — все давно заметили — даже в самые роскошные и яркие ночи темнота над уступом была какой-то особенно неподвижной и густой, а там, где, по разумению охранников, должна была находиться голова Хасана, вообще ничего не было — кроме неощутимо вращающейся непроницаемой пустоты, сквозь которую не просвечивали даже крупные, как раздавленный инжир, аламутские звезды.

Но не то что говорить — думать об этом было жутко, и потому фидаины испуганно отдергивали глаза от хозяйского логова и начинали с утроенным усердием сканировать окружающую их ночь. Изредка то один, то другой выводил тоскливым гортанным голосом: "Насир ад-дуниа вад-дин!" И с соседних башен, ежась и переминаясь босыми ступнями на острой гранитной щебенке, тотчас протяжно откликались: "Насир ад-дуниа ва-д-дин!" ("Защита мира и веры!") Щебенка помогала побороть дрему, особенно самую страшную — предутреннюю, ласковую, подбиравшуюся так властно и незаметно, что проштрафившийся охранник, сброшенный со скалы своими же, успевал проснуться лишь за мгновение до того, как голова его сочно раскалывалась о камни...

Когда борода Хасана становилась влажной от ранней росы, он вставал — и, как ни караулили этот момент фидаины, все равно сердца у них прыгали от ужаса, а ибн Саббах, сбросив на камни халат, шел домой — прямой, тощий, в ветхих бумажных штанах и просторной рубахе, и за спиной его наливались языческим, мрачным огнем утренние горы. Спустя пару минут из дома выскакивала его жена (все по привычке называли ее младшей, хотя она уже много лет была единственной — старшая умерла так давно, что Хасан и не помнил даже, как пахли ее волосы), все так же по самые глаза закутанная в паранджу, подбирала оставленный мужем халат и встряхивала его крепкими морщинистыми руками. И в этот момент крепость — как будто подключенная к гигантской розетке — наконец просыпалась, до краев наполняясь шарканьем, скрипом, перекликами сменяющейся стражи и ароматом закипающей на медленном огне жирной баранины.

В Аламуте всегда было сколько угодно обжигающей, перченой, пахучей, как устье молоденькой девушки, баранины. Для всех. Старец Горы мог себе это позволить. Потому что последние сорок лет был богат, как Бог, и так же всемогущ. Но даже Бог не знал, как Старец Горы устал быть Хасаном ибн Саб-бахом.

Ранорасширитель нейрохирургический универсальный Егорова—Фрейдина. Ранорасширитель реечный для грудной полости с расходом зеркал от 0 до 209 мм. Ранорасширитель с органоудерживателями (для новорожденных и детей раннего возраста). Ранорасширитель стоечный типа Сигала

Шинирование прекрасно делали и без него — в конце концов, он платил своим сотрудникам хорошие деньги не только за то, чтобы они, как средневековые зеваки, вылупив рты, следили за его животворящими руками. Потому, закончив накладывать последний шов (швы сам, только сам, эти коновалы — сколько ни учи — не способны толком заштопать даже джутовый мешок), Хрипунов слегка поклонился — дань солировавшего виртуоза вышколенному оркестру — и под невидимые овации покинул операционную. Чтобы немедленно натолкнуться на администраторшу, седоголубовласую моложавую даму, некрасивую ровно настолько, чтобы самооценка клиенток лишний раз не пострадала, и в то же время интеллигентную как раз в той мере, чтобы вежливо реагировать даже на самые дикие капризы этих же самых клиенток. В преддверии оперблока администраторше делать было настолько нечего, что Хрипунов сразу понял, что случилось нечто из ряда вон, и с мгновенным шорохом пролистал в голове истории болезней. Разошлись швы у Люпановой? Арсен опять свернул какой-нибудь из своих моделек новенький нос? Или идиотка Лика все-таки поперлась на пилатес через неделю после липосакции?

Администраторша, как будто услышав этот каталожный шелест, отчаянно затрясла прической, похожей на синеватые холодные макароны, застывшие в дуршлаге и аккуратно выложенные ей на голову. "Тут звонили, ваша мама, от вашей мамы, то есть соседка вашей мамы, — заблажила она, с каждым слогом набирая обороты и ловко, как заправский урка, вздергивая себя на дыбу многоэтажной истерики. — Я не решилась, вы поймите, это же ваша мама, вы должны, вам, словом, ваша мама... "

Хрипунов зачем-то ждал, хотя все было совершенно ясно, смотрел поверх холодных макарон в узкое окно с теплыми янтарными стеклами, янтарные стекла и бронзированные зеркала пришлось заказывать в Германии, зато любая женщина в этом загорелом золоте выглядит красавицей — так еще Клоун придумал, гениальный вор, садист-самородок, очень добрый человек. И справедливый. Но совсем несмешной. А сколько денег пришлось вбухать в это самое загорелое золото — страшно сказать. А выбить в собственность особняк под клинику в центре Москвы? Причем в самом прямом смысле — выбить, перестрелка вышла совершенно голливудская, в духе московских девяностых — прямо из окон брыластых "мерседесов", с гиканьем, матерком, на полном гоголевском ходу. И совершенно же по-голливудски, все, кто нужно, остались в результате при своих, разменяв лишь по паре незначительных шестерок, сливово обмякших на неласковой московской мостовой. Хрипунов вообще в ту пору (за клоуновский же счет) стажировался в Штатах и, вернувшись, застал Клоуна поглощенным турецким евроремонтом, швейцарским оборудованием и вселенскими планами.

Какое забавное все-таки чувство юмора у судьбы — совершенно диккенсовское. Что было у Хрипунова в девяностом году? Ординатура по челюстно-лицевой хирургии, сраная съемная берлога на краю московской географии, ночные подработки на раздолбанной скорой, ножевые, сердечники, агонизирующие старушки, снова ножевые, утреннее возвращение, звонкий озноб, чернота от усталости перед и под глазами, скорченное тело у незнакомого подъезда. Хрипунов прошел было мимо, честно говоря, ему плевать было на клятву Гиппократа и страдающих алкашей, но через пару шагов, крякнув, вернулся, и правильно вернулся, потому что, во-первых, у алкаша, кроме отсутствия перегара, обнаружилось симпатичное и слегка опаленное входное отверстие в левом боку, а во-вторых, когда Хрипунов, наспех заткнув рану носовым платком, завертел головой, соображая, откуда лучше вызвать скорую, ханурик из последних сил отчаянно, как маленький, зашептал: "Ты только, доктор, в больничку меня не вези, мне в больничку никак, не вези в больничку, говорю..." И Хрипунов — ну когда еще вволю поработаешь с настоящим огнестрелом? — принял решение.

Кстати, отмокший в хрипуновской ванне и перевязанный, ханурик оказался и не хануриком вовсе, а крепким мужичком неопределенных лет с вкрадчивыми повадками старинного зоновского сидельца и с гуинпленовской ухмылкой (старый ножевой шрам, сардонически и навеки оттянувший в сторону угол рта). Пациентом он оказался молчаливым и терпеливым, как дяди-Сашины покойники, и стоически выносил все хрипуновские манипуляции (половина из которых была продиктована самым зверским научным любопытством). А через пару месяцев, окрепнув и не обменявшись с Хрипуновым и десятком фраз, мужичок потихоньку убрался куда-то, аккуратно застелив за собой раскладушку и оставив на кухне чашку густого, как нефть, и такого же маслянистого чифиря.

Распатор. Распатор Андогского. Распатор большой и ложкообразный, малый. Для носоглоточных фибром. Распатор для отслойки кожи лица, изогнутый и прямой. Распатор для первого ребра. Для позвоночника. Для слизистой носа. Распатор-долото. Распатор-скребок

Той ночью все было как обычно — трижды тридцать раз обойдя Аламут и доведя фидаинов до жгучих судорог в икроножных мышцах, Хасан затих, слава Аллаху, на своем камне, вытянулся и даже заснул было, впервые за много месяцев провалившись в полную, мягкую, благостную темноту, где наконец не было ни боли, ни ярких суетливых кошмаров, ни повелительных голосов. Очнулся он от чужого внимательного взгляда. Кто-то рассматривал его — неторопливо, в упор, и это тоже было невероятное и почти забытое ощущение — давным-давно никто не смел смотреть так на Хасана, так давно, что он и сам иногда верил в то, что люди боятся ослепнуть от его взгляда, хотя на самом деле они просто боялись умереть.

Через пару минут, когда ибн Саббах привык к окружающей ночи, он увидел перед собой человека, с головой замотанного в черные тряпки, — только глаза поблескивали чуть-чуть, как драгоценные и баснословно дорогие балаши из Шихгинанских пещер. Человек был неподвижен и непроницаем, как темнота, но по глазам, точнее по взгляду, Хасан тотчас же понял, что перед ним всего-навсего женщина — и, как ни старается она смотреть прямо и твердо, глаза ее все равно прозрачны насквозь и не в состоянии уловить сути предметов.

Сперва Хасан ибн Саббах решил было, что это все еще сон, потому что никаких женщин, кроме его собственной жены, в Аламуте не было, и после того, как он самолично перерезал горло Хасану-младшему, своему четвертому сыну, за этим не приходилось даже следить. И потом, как вообще могла попасть женщина в Аламут — ночью, мимо фидаинов, по отвесной шуршащей стене, на которой даже бабочка не могла удержаться дольше двадцати трех секунд? А если не по стене, если по лестнице, на каждом каменном витке которой тоже стоял, застыв от напряжения, бессонный караульный, сжимая во взмокшем кулаке дважды изогнутый плавный кинжал, — как, как она могла пройти все это, женщина, будь она три тысячи раз гул — джинния, прекрасная пожирательница костей, сотканная из раскаленного воздуха и бледного огня?

Хасан стиснул кулаки так, что ногти оставили на ладонях синеватые полумесяцы. Нет, не сон. Чересчур много живого. Остывающие камни пахнут остывающими камнями, в левую щеку ткнул холодным пальцем неласковый горный сквознячок, ткнул — и тут же, извиняясь, лизнул Хасана в губы влажным, затхловатым языком. Во сне все не так. Да и вообще — чересчур много не так. Почему она стоит, эта женщина, раз уж пришла. Почему молчит. И почему молчит он сам, скорчившись у ее ног, словно провинившийся щенок, — он, Хасан ибн Саббах, Старец Горы, нетитулованный хозяин Персии и ночной кошмар суеверной Европы?

Хасан, кряхтя, попытался встать и вдруг понял, что ему страшно. По-настоящему страшно. Потому что молчала не только женщина. Голос тоже молчал. Да что молчал — Хасану вообще ни разу не говорили об этом, а ведь он наизусть знал свою собственную жизнь, он миллион раз просмотрел ее целиком и в раскадровке, и ни в одном эпизоде не было этой черной женщины в черных тряпках, этой черной ночи и ледяного лунного лучика, разбившегося о далекий кинжал фидаина и кольнувшего Хасана прямо в глаз.

В первый раз со времен Реи Хасан ибн Саббах почувствовал, что живет по-настоящему — в том смертном ужасе, в котором от рождения привыкли жить все земные души, понятия не имея, что будет с ними в следующую секунду, и едва осознавая, что за властная сила крутила и корежила их мгновение назад. И женщина, словно почувствовав этот страх, вдруг распахнула свои черные тряпки, обдав Хасана кисловатым душком вспотевшей верблюжьей шерсти и волнующим ароматом зрелой человеческой самки.

Живот. Сперва Хасан ибн Саббах не увидел ничего, кроме ее беременного живота, огромного, бесстыдного, голого, туго натянутого пуза с выпуклым пупом, от которого сбегала вниз, к лобку, синеватая полоса, похожая на странгуляционную борозду из учебника по судебной медицине. Живот был живым, круглым и невероятным, как вселенная или детский надувной мяч, и женщина чуть-чуть придерживала его двумя руками, будто живот мог выскользнуть и, звонко подпрыгивая, поскакать по тусклым, пыльным камням.

— Ты кто такая? — одними губами спросил Хасан, чувствуя, как прилипает к спине насквозь промокшая ледяная рубаха, и не осмеливаясь взглянуть женщине в лицо.

И тут живот начал неожиданно светлеть, медленно становясь прозрачным, как аквариум, внутри которого, смутный и живой, плавал ребенок — мальчик. Он с каждой минутой все яснел, делаясь выпуклым, и Хасан ибн Саббах почти видел его сморщенное личико и крошечные, тесные кулачки. Ребенок беспокойно возился в своей мерцающей капсуле и все искал кого-то мутными, едва прорезавшимися глазами, неумело пытаясь повернуть слабую, жалкую голову. Но наконец глаза его нашли в плавающем изогнутом мире ибн Саббаха и сразу успокоились, отвердели, и вокруг зрачков начал расползаться горячий, золотисто-коричневый цвет, словно туда капнули из пипетки густого концентрированного йода. Мальчик еще немного поерзал внутри живота, устраиваясь поудобнее, потер плечиком щеку и, не сводя с Хасана яркого взгляда, медленно, неестественно медленно улыбнулся.

— Ты кто такая?!! — Хасану показалось, что от его крика пригнулись на сторожевых башнях обмершие фидаины.

Женщина отшатнулась, оберегая живот, в котором, неподвижно поблескивая крупными белыми зубами, все еще улыбался ребенок, и неизвестно откуда взявшийся ветер, взметнув ее мрачные тряпки, обдал Хасана колючей мелкой волной.

— Ля тахким илла иллах, — мягко ответила она. — Судить вправе только Бог.

Зубы мальчика чуть-чуть подрожали и медленно, по одному, начали таять, как пиленый, плотный сахар — пока не остался только пустой внутри, красный, словно вырезанный на маленьком лице треугольник улыбки. И тут Хасан наконец поднял голову и посмотрел женщине в лицо, очень простое, очень ясное, очень знакомое, — и не удивился. Ему больше нечему было удивляться, он все понял, то есть это раньше он думал, что все понимает, но только теперь по-настоящему понял все.

Щипцы для извлечения желчных и почечных камней вертикально изогнутые. Щипцы для извлечения осколков костей. Щипцы для носоглотки окончатые. Щипцы для операций на носовой перегородке. Для тампонирования горла и глотки большие. Для оттягивания матки. Щипцы для захватывания ушка сердца

Спасибо, Алина Анатольевна. — Хрипунов вежливо кивает головой, имя администраторши размазывается по небу, как сливовое повидло. — Меня не будет (маленькая пауза, чтобы умножить расстояние на время и приплюсовать минимальный технологический зазор на национальное разгильдяйство)... четыре дня. На этот период все операции отменяются. Прием будет вести Константин Львович.

Администраторша сглатывает в такт каждой фразе, и подбородок ее прыгает, как автомат Калашникова в неловких лапах новобранца.

— Ваша соседка... Нина Николаевна... — опять начинает она, но Хрипунов уже не слушает, он несет по коридору безупречно прямую, спокойную спину, отчетливо щелкая тонкими подошвами дорогих туфель. — Мы вам очень сочувствуем, дорогой Аркадий Владимирович, — беззвучно бормочет вслед администраторша, и очки ее переполняются стародевическими слезами — чистейшими, тяжелыми, дымящимися, как напалм. Она сама только в прошлом году схоронила мамулю и, спасибо Аркадию Владимировичу, сразу выправила памятник, оградку, засадила все бархатцами, мамуля любила бархатцы, и цветут они с мая и до заморозков, не забыть прямо сейчас отправить телеграмму, чтобы не торопились хоронить. Администраторша протирает вспотевшие окуляры крохотным носовым платком, смахивает с очков налипшие махры и, деликатно шмыгая носом, семенит к своей стойке у самого входа в клинику.

Уже через пару часов потрясенная Нинка Бабкина, старая, скрюченная от артроза, но по-прежнему деятельная и бессмертная, как вирус, будет показывать соседкам длиннющую телеграмму, из-за желтоватых бумажных полос похожую на окно, заклеенное от бомбежки. Смотри-ка, мать все ж есть мать, проняло-таки Хрипуненка, а то двадцать с лишком лет носа не казал, шлепок коровий, отца без него схоронили, тока деньги и слал, а что Татьяне с его денег, одна-одинешенька померла, чисто дворняга под забором. А тут нате вам — без меня не хороните, буду среду, люблю, скорблю, безутешный сын Аркадий.

Через те же пару часов — укладывая в душную пасть багажника спешно собранную экономкой дорожную сумку, похожую на пафосный батон из виттоновской кожи, и ящик с пятилитровыми бутылками питьевой воды, "и я же сказал, что портплед не нужен, Светлана Григорьевна, и уберите пирожки, это даже не смешно" — Хрипунов наконец признаётся сам себе: мама умерла. И совершенно ничего не чувствует. Совершенно ничего, кроме острого нежелания тащиться неизвестно куда через всю эту волчью, волчью страну.

Стамеска Воячека желобоватая. Стамеска Воячека плоская. Шило Воячека. Шило трехгранное. Рашпиль с насечкой, обратной и прямой

Хрипунов и думать про Клоуна забыл, поглощенный реальной жизнью, которая — впервые на его памяти — норовила вправиться в нормальное русло, стать обычной, нормальной, человеческой, в конце концов. После ординатуры его без слова оставили в челюстно-лицевой — огромное отделение, между прочим, и столичная больница, московская, и в планах маячило — как только освободится ставка — место пластического хирурга в получастной клинике, хотя на кафедре общей хирургии рвали волосы от отчаяния, и завкафедрой лично трижды вызывал Хрипунова на откровенный разговор, туманно рассуждая о благородной науке и подвиге высокого служения, пока не признался, крякнув, что сроду не встречал такого одаренного хирурга. "А я ведь, Аркадий Владимирович, двадцать пять лет преподаю и сорок оперирую, навидался, слава богу, всякого, но таких рук, как ваши, не встречал. Сколько вам лет? Двадцать девять всего? Невероятно! У вас, Аркадий Владимирович, большой дар — уж не знаю, правда, Божий ли, но пациентам это, если честно, без разницы. Зачем вам эта пластическая хирургия — господи, носы, животы, жирные тетки! Я понимаю, вы человек молодой, вам деньги нужны, тем более что времена сейчас, мягко говоря... Но, Аркадий Владимирович, дорогой, вам нельзя размениваться, оставайтесь на кафедре, лет через пять будете самым молодым в институте профессором — я обещаю, но и не в этом даже дело, речь вполне может идти о создании новой хирургической школы, вашего имени школы, Аркадий Владимирович, уж поверьте старику — мне давно ничего не нужно, лучше подумайте, сколько людей вы можете спасти... Реально спасти, по-настоящему — от смерти".

Хрипунов вежливо вертел в крепких пальцах чашку с желтеньким кафедральным чаем: ему было плевать на людей с их неминуемой смертью, ему даже на свою собственную смерть было плевать: детство, проведенное в морге, избавляет, знаете ли, от ненужных сантиментов. И потом, Хрипунов прекрасно знал, что в смерти человек все равно беспросветно и совершенно одинок, собери вокруг хоть сотню гениальных врачей, — в сущности, в человеческой жизни есть только два момента такого великого, абсолютного одиночества — рождение и смерть. А пластическая хирургия — это интересно. "Мне интересно, Кирилл Леонидович. Потому что это единственная для врача возможность не увечить, а творить. А деньги тут, честное слово, ни при чем".

Это была правда. Деньги интересовали Хрипунова еще меньше людей. Именно поэтому они пришли к нему сами.

Одному Клоуну известно, как он разыскал Хрипунова после двухлетней разлуки. Съемное жилье за это время пришлось сменить три раза: поспевая за взбесившимися ценами, Хрипунов все дальше забирался в глушь столичных трущоб, и похоже, последнее приобретение — восьмиметровая комната на краю московской географии — тоже скоро станет не по карману, и придется искать убежище в Подмосковье, что и неплохо, потому что в электричке можно сколько угодно спать. И почти столько же читать.

Впрочем, наверно, Клоун просто разослал своих шестерок по всем московским больницам или напряг частных сыскарей; в ментовку он бы сроду не сунулся, вор известный, авторитетный — западло. Но — разыскал. Вплыл прямо в ординаторскую, солидный, благоухающий, степенный, в невиданном деловом костюме, отливающем сталью и шерстью, и дурацком галстуке в цирковой развеселый горох. За спиной маячат две гориллы в стандартных кожаных куртках и шуршащих спортивных штанах, и подпрыгивает встревоженная медсестричка, вскрикивая про часы посещения и нельзя без халатов в отделение, "ну что вы за люди, Аркадий Владимирович, я правда говорила, что нельзя".

Хрипунов встал из-за стола, честно пытаясь вспомнить, нет ли в какой палате подходящего посетителям раскуроченного братка, но увидел шрам, перекосивший рот неузнаваемого господина, и тут же, потянутое приметным келлоидным рубцом, выплыло имя:

— Здравствуйте, Евгений Поликарпович. Рад видеть вас в добром здравии.

Клоун вздернул короткие брови, покачал недоверчиво головой: вот это память! уважаю! — и тут же цыкнул на своих псов, и они немедленно исчезли за прикрытой дверью, только слышно было, как стихает негодующий стрекот медсестры, превращаясь в укоризненное воркование, потом что-то зашуршало — не то букет, не то шоколадка, и сестра замолчала вовсе, зашелестев куда-то по своим медицинским делам. И Хрипунов с Клоуном остались одни.

Пачку долларов, перетянутую смешной розовой резинкой, Хрипунов не взял — "я, Евгений Поликарпович, частной практикой не занимаюсь и мзды с пациентов не беру", — и деньги так и пролежали на столе всю неловкую беседу (о погоде и прочих стихийных обстоятельствах) — как кирпич, вернее, небольшой такой кирпичик, и Клоун, поднимаясь, сунул его в раздутую барсетку: "Во времена настали, Аркадий, скоро вместо бумажника портфель придется с собой носить, зря отказался, ты мне жизнь спас, а я долгов не люблю. По долгам платить положено".

— Так ранение было не смертельное, — машинально поправил Хрипунов, ему не нравился разговор, будто списанный из бабского детектива в дешевой мягкой обложке. Дурацкий.

— Зато жизнь была смертельная, — отрезал Клоун. Из-за шрама он все время усмехался краем ощеренного рта, на подельников, должно быть, жути нагоняет немало, но вот есть, скорее всего, неудобно. Да и девушкам нравится едва ли.

Хрипунов посмотрел в лежащую перед ним историю болезни. Диагноз: сочетанная черепно-лицевая травма. Перелом основания черепа в передней черепной ямке. Множественные переломы костей лицевого скелета, верхней челюсти, стенок обеих орбит, решетчатого лабиринта, нижней челюсти и скуловой кости справа. Рваные раны век обоих глаз. Франкенштейн из-под "КамАЗа". А место в клинике пластической хирургии может и не освободиться. Вообще.

— Знаете, Евгений Поликарпович, если вы действительно хотите сделать для меня доброе дело, позвольте, я вас прооперирую. Разумеется, бесплатно.

Клоун аж поперхнулся больничным воздухом — ни до, ни после Хрипунов не видел его таким обескураженным, прямо как первоклашка, которого завуч застукал в школьном сортире с аппетитно скворчащей беломориной, а ведь крученый был мужик. Крученый и длинный. Хотя это сразу было ясно. Еще два года назад.

— Проо... Что?

— Ну, прооперирую. Шрам ваш — если, конечно, он не дорог вам как память. Совсем убрать, к сожалению, невозможно. По крайней мере в этой галактике. Но улыбаться будете, только когда сами захотите, обещаю.

— А... — Клоун честно пытался понять, — а тебе-то с этого какая корысть?

Хрипунов еще раз заглянул в историю болезни.

— Понимаете, Евгений Поликарпович, к нам сюда люди попадают все больше из-под асфальтового катка, тут уж, сами понимаете, не до тонкостей. Голову бы собрать по частям. А я хочу работать в пластической хирургии. Если угодно — в эстетической.

— А шрам мой тут при чем?

— Да, собственно, ни при чем. Просто я много читал про такие рубцы и довольно хорошо представляю, как с ними работать. Не хватает только практики.

Клоунские мальчики рванули в дверь разом и разом же засели в ней крепкими плечами, растопыренные, ощетиненные, один все пытался свободной рукой выхватить пистолет из наплечной кобуры светлой иноземной кожи — экие дурни, хорошо, хоть не с обрезами, а то разнесут, к чертовой матери, все отделение. Клоун, все еще икая и всхлипывая от смеха, махнул им успокоительно и жестом попросил у Хрипунова попить.

— А то так и помру во цвете лет. Непроо... Ой, не могу, держите меня семеро! Выходит, ты меня заместо подопытной крысы хочешь?

Хрипунов налил из-под крана стакан мутной московской воды, протянул Клоуну и совершенно серьезно ответил:

— Да.

Через три месяца в "Метрополе" счастливый Клоун (в углу выровненного рта — только тонкая слабая тень прежнего уродства) кругло и гулко глотал ледяную водку и аппетитно распоряжался:

— Значит, так, Аркадий, я тут со знающими людьми посоветовался, потому бросай эту советскую богадельню, будем свою больничку открывать. Э-сте-ти-че-скую, как ты хотел. Не у меня одного на роже шрам, а ты, говорят, еще носы новые собираешь — знаешь, сколько у наших носов набекрень? Чистое золотое дно. Да какое учиться, какая Америка, мало ты учился, через пару месяцев откроемся, у меня муха не пролетит... Погоди, погоди... Силиконовые, говоришь? И большие можно сделать? А вот такие? Да ври!

То и дело подбегал официант, чутко, как за пульсом умирающего, следя за уровнем водки в тяжелых стопках, — Хрипунов до своей так и не дотронулся.

— Нет, Евгений Поликарпович, стажировка потребуется минимум на год, и еще месяца три хорошо бы провести в Швейцарии, там тоже прекрасная школа, и потом, вы хоть примерно представляете, сколько это будет стоить? А оборудование клиники? Цены на гармонические скальпели знаете? А на операционные столы?

— Горячее подавать? — мягко вклинивался официант.

— Да пошел нахуй! О деньгах, Аркадий, даже не думай... Ты, главное, учись, раз надо. Я на тебе еще кучу бабок заработаю, лепила ты мой хренов. Мы заработаем. И не спорь, мне тя Бог послал за жизнь мою тяжкую, не спорь, говорю. Где мое мясо, халдей, я еще ждать тебя буду за свои бабки!

Все так и получилось, по-клоунскому. Он вообще оказался по-своему верным и благородным человеком. И как вовремя позволил себя убить — аккурат в самом конце девяносто пятого, к смене времен, к началу великой легализации. К концу девяносто шестого Хрипунов был уже чист как слеза — безупречный владелец безупречной клиники с безупречной репутацией. На похоронах к нему подошла рослая зарыданная блондинка с крепкой, молодой жопой и увесистым бюстом — Хрипунов мгновенно узнал свою работу, чуть ли не первую после Штатов, точно, начало девяносто четвертого, она еще настаивала на самых больших протезах. Ах ты, Клоун, ах ты, старый сукин сын, надо же, а лица совсем не помню, хорошо хоть, что не гинеколог, те своих пациенток вообще только в кресле узнают. Блондинка страдальчески сморщилась и залепетала про то, как все ее послали, а вот когда Евгений Поликарпович был жив...

— Тысяча долларов в месяц вас устроит? — поинтересовался Хрипунов.

Блондинка недоверчиво ахнула и совсем по-деревенски залепетала про дай вам Бог здоровьичка, Аркадий Владимирович, уж про вас Евгений Поликарпович так всегда говорил, прям как про сына родного.

— Просто я тоже не люблю долгов, — непонятно ответил Хрипунов, аккуратно высвободил локоть из тугого силиконового плена и, обгоняя рослых мужиков в квадратном черном кашемире, не спеша пошел к кладбищенским воротам, понимая, что, похоже, Клоун был последним человеком, которого он, Хрипунов, не только слушал, но и слушался. И теперь все пойдет совсем по-другому. Потому что жизнь встала наконец на пуанты, дрожа напряженными икрами и растерянно улыбаясь. И лучше даже не думать, насколько ей хватит сил.

Щипцы разжимные. Щипцы полипные окончатые. Щипцы Твида. Щипцы тигельные. Щипцы тампонные носовые. Щипцы уретральные с зубцами и нарезкой на губках. Щипцы цанговые. Щипцы штыковидные с узкими овальными губками. Щипцы Энгля. Щипцы предохранительные для сверления черепа

Он больше ни разу не шевельнулся в своей каменной нише — ни в полночь, ни позже, когда из-за гор начало выбираться одутловатое багровое солнце, и никто в крепости не смел не то что сдвинуться с места — даже взглянуть туда, где сидел, скорчившись и втиснув в колени неподвижную голову, Хасан ибн Саббах — мертвый. Или живой. Пока не выскочила наконец из дома его младшая жена, маленькая, коренастая, уютная, и не поспешила, всплескивая руками, — в первый раз в жизни не к хозяину и повелителю, а просто к мужу, который — ай, тебе что, плохо с сердцем, дорогой? — опоздал к завтраку и вот сидит теперь на утреннем сквозняке и может, сохрани Аллах, простудиться. Она, лопоча что-то ласковое, помогла Хасану подняться и, подхватив его, как маленького, под мышки (косточки, косточки-то, оказывается, как у изголодавшейся птички), повела домой — сгорбленного, невесомого, вмиг одряхлевшего, слепого от слез, глицериновой пеленой заливших запрокинутое лицо.

До самого вечера из лачуги Хасана не доносилось ни единого звука. Молчала и крепость — отчаянно, оглушительно, из последних безнадежных сил, словно параличом разбитая безъязыкая старуха, которой третий день забывает дать попить толстая ленивая невестка. И только ветерок тоненько подвывал от одиночества, заблудившись в серых камнях, да после полудня потерял сознание от усталости и жары один из фидаинов, которых никто так и не рискнул сменить, и тело его, несколько раз глухо стукнувшись о скалы, бесконечно долго и медленно падало вниз.

Но ничего этого не слышал Хасан и ничего не видел, потому что лежал, скорчившись, лицом к стене, на каменной лежанке, той самой, на которой его старшая жена когда-то, тридцать, кажется, да, точно — тридцать лет назад, родила маленькую красную девочку, прожившую всего семнадцать минут. Младшая жена сперва сновала по дому мягкой встревоженной тенью, а потом села в углу и замерла там, не шевелясь, подняв к лицу крепко обтянутые холстом колени, пока не начало темнеть. Когда сумерки заплескались выше ее оплывших от старости щиколоток, Хасан ибн Саббах наконец вытер мокрое лицо и встал.

— Ты не скинула ее тогда, — не то спросил, не то сказал он затекшим от долгого молчания голосом.

Младшая жена не ответила, но глаза ее, едва различимые в темноте (стремительно прибывающая ночь была ей уже почти по шею), упрямо блеснули.

— Не скинула, — повторил ибн Саббах, — это была она. И с Хасаном-младшим тоже. Я знаю. Она.

Распаторы для отслойки кожи лица — прямой, изогнутый.
Распаторы — малый и большой. Распатор для первого ребра,
мощный. Распатор прямой. Распатор изогнутый, малый

С трассы, как это ни печально, пришлось свернуть, и "ягуар" под Хрипуновым тут же поджал низкое беззащитное брюхо и заныл, жалуясь на раннесоветский асфальт и неласковые колдобины. Хрипунов, который, в отличие от большинства, механизмы, даже самые дорогие и долговечные, никогда не одушевлял, даже мимоходом пожалел бедолагу и едва ли не впервые в жизни потрепал растерянную, глазастую машину по рулю и поговорил с ней. Негромко и по-человечески.

Все-таки это было чистое пижонство — ехать в беспросветную даль на такой машине. *Jaguar S-Type R*, четыреста лошадей, сто км в час за пять с половиной секунд, нулевой пробег, угрюмый взгляд, цвет запекшейся вишни. В автосалоне на Хрипунова только что не молились — такой клиент, чистый нал, родной сервис, полная страховка, раз в три месяца ТО, раз в три года — новая модель, последняя в линейке, и всегда — умильные менеджеры сглатывали ядовитую слюну и задирали восторженные глазки к невидимому денежному небу — всегда с полным фаршем. Знали бы, насколько Хрипунову все равно, он вообще не выносил диковинных аппаратов и, уж конечно, предпочел бы старенькую "бэху". Клоун жалостно качал головой: "Эть, молодой ты, Аркадий, головой совсем не хочешь думать. «Бэшка» тебе не по масти, ты не бандит, а честный коммерсант, налоги платишь, новые сиськи людям делаешь, тебе чистая тачка нужна, не как у всех. Бери «ягуар», и новый, понты дороже денег, а води всегда только сам — никаких водителей, никакой охраны, бизнес у тебя деликатный, лишние уши ни к чему, а пацаны, если что, всегда за тобой присмотрят, об этом даже не думай". Ну, Хрипунов и не думал. И без того было о чем.

Машину опять тряхнуло, руль рванул из-под рук, как живой, — и так еще километров четыреста, предупредил "ягуара" Хрипунов, еще раз пожалев о том, что ввязался в это дикое путешествие, но самолеты предусмотрительно садились в шести сотнях верст от Феремова, а добираться на бесчисленных перекладных, пересаживаясь с поезда на "калач", а потом еще на автобус, — и часами томиться на крошечных заплеванных вокзалах в толпе недоопохмеленных соотечественников...

— В общем, надо потерпеть, — пробормотал Хрипунов. — Зачем — не знаю. Но надо.

Диссектор плевры с ползушечным приводом. Диссектор с двойным изгибом ручек. Диссектор с изогнутыми ручками. С кремальерой. С прямыми ручками (для новорожденных и детей раннего возраста). Диссектор сосудистый

Двадцать лет хрипуновского отсутствия никак не сказались на облике Феремова. За тысячелетие своего идиотского существования город умудрился отреагировать только на два события — татаро-монгольское иго и Великую Октябрьскую социалистическую революцию. Все остальные бури пронеслись незамеченными — мимо и над полупрозрачной временной капсулой, в которой и пребывал Феремов, в сонном эмбриональном оцепенении. Желающие могут сами вообразить себе нечто вроде мухи, заточенной в недорогом прибалтийском янтаре. Когда Хрипунов был маленьким, все женщины вдруг разом свихнулись на этой доископаемой смоле. Крупногороховые бусы, серьги, полукилограммовые кулоны, но самый писк — жук или растопыренный паук из янтаря, вцепившийся золочеными лапками в шероховатый лацкан выходной двойки в уродливую обтяжку. Особо модную ценность представляли собой как раз пауки со впаянной в башку или туловище мушкой или иной насекомой тварью — паук хрипуновской мамы был без довеска, холостой, и она переживала по этому поводу искренне, но недолго. Мама. Да.

Впрочем, кое-какие мимические морщины на феремовском лике все же появились. Пара позднесоветских семиэтажек, пяток коммерческих ларьков да глумливо подмигивающий салон игровых автоматов на неизменной Красной площади с неизменным Лениным и неизменным центральным универмагом. Впрочем, другого, нецентрального, универмага в Феремове не было вовсе. Как и другой площади. И даже дорога до Дружбы, 39, квартира 12, отняла не больше времени, чем Хрипунов рассчитывал. Почти как пешком. Только подъезд еще сильнее зарос безымянными кустами. И совершенно негде припарковаться.

Векоподъемник с подвижным зеркалом. Векорасширитель с опорами на надбровные дуги — левый и правый. Векорасширитель с плавающими опорами

Т е же ступеньки, те же латунные цифры — единица чуть покосилась, маленькому Хрипунову всегда казалось, что кол грозит ему корявым перстом, тот же запах на лестнице — не то умирающая черемуха, не то засыхающая урина.

И никаких эмоций. Ни малейших. Это не мой дом. Я здесь не жил. Здесь жил — не я. За почтовый ящик, прибитый к двери (Хрипунов успел начисто забыть, что такие бывают), кто-то воткнул записку — "Ключы в кв. 10". Хрипунов попытался вспомнить, кто жил в десятой, но перед глазами плыла дорожная разметка, прыгали назад бесконечные столбы. Надо поспать. Почти сутки за рулем. Спрашивается — зачем?

Вокруг машины натекла лужица пацанов — всё таких же, всё тех же. Разве что футболки поярче. "Да какой «феррари», мудила? Это «олдсмобиль»!" — "Сам ты мобиль. Говорю тебе — «феррари»!" Увидев Хрипунова, они уважительно примолкли и расступились.

— "Центральная" жива еще? — спросил Хрипунов всех разом, зная, что ответит все равно один — старший.

— А куда ж она денется, — степенно сказал коренастый парень с цепкими глазами будущего бандита. Подрастет — будет бензоколонкой заправлять. Если не сопьется, конечно. Хрипунов так же степенно кивнул в ответ и, уже закрывая за собой дверцу, негромко сказал парню:

— "Ягуар".

И в первый раз за много лет улыбнулся по-человечески.

Про Хасана-младшего ибн Саббах знал всегда. То есть он знал, что самолично убьет двух своих сыновей, должен убить, и убил. Одного, Рахмана, он задушил за день, прожитый без пользы и смысла: пятнадцатилетний Рахман продрых весь этот день, спрятавшись от отца в прохладной клетушке, предназначенной для хранения вяленого мяса и сыра. Честно говоря, мальчишка заслужил свою смерть — рыхлый, болезненный обжора с прыщавыми, поросшими молодым пухом щеками, он и заснул, зажав в кулаке огрызок волокнистой красной баранины, и Хасан едва разбудил его сильным пинком. У парня были закисшие глазки с желтоватыми катышками гноя в уголках, в детстве он вечно путался в материнских ногах и еще умел сочинять странные отрывистые песни, жаль, никто не умел их слушать — ты что опять там скулишь, щенок? Перед смертью он успел только улыбнуться — растерянно и виновато, у него была хорошая улыбка, застенчивая, и обильно обмочился прямо отцу на ноги, а вот Хасана-младшего было жалко, он был хороший воин, совсем взрослый, с гладкой грудью и каменным характером. Да.

Однажды ибн Саббах обломал о Хасана кедровый посох — титановой крепости, красно-янтарный, отполированный до густого жидкого блеска, — и парень даже не пикнул, хотя ибн Саббах в двух местах перебил ему ключицу, он вообще за малейшее неповиновение лупил своих сыновей, как овец, но Хасан-младший не был овцой — настоящий волчонок, угрюмый, сутулый, злой, у него и шея-то ворочалась с трудом, как у волка, после того перелома; вот кому бы Хасан ибн Саббах с удовольствием передал и Аламут, и свою чертову боль, и свои чертовы дела, но Хасана-младшего надо было убить. И он убил.

Семь месяцев прошло с того вечера. И шестнадцать дней. А в ушах Хасана ибн Саббаха до сих пор хрустела дорога, по которой он спускался вниз, в долину, где в крошечной деревушке, в лачуге умершего прошлым летом старого сыровара, его четвертый и лучший сын, Хасан-младший, назначил свидание женщине, имени которой ибн Саббаху не сказали, да и плевать, потому что каждый скрипящий трудный шаг отпечатывал на его сетчатке новую яркую картинку из тех, что он предпочел бы не видеть никогда. Низкая комнатенка, сброшенные наспех человеческие тряпки, женская, масляно отливающая коленка, мужская, натянутая сладкой мукой спина, по которой гуляют в такт торопливым толчкам молодые мышцы. И надо всем этим — запретный запах выдыхаемого вина, тошнотворный, немыслимый, липкий.

Мигреневый паук крутился в голове у Хасана ибн Саббаха на суровой, упругой нитке, бился колючим уродливым телом то о глазные яблоки, то о затылок, то о виски: удар-вспышка-шаг — удар-вспышка-шаг. Откуда-то появилась собака — огромная, грязно-белая, — посмотрела на Хасана ярко-рыжими спокойными глазами, догнала, прижалась теплым боком к ноге. Ибн Саббах запустил пальцы в сухую жесткую шерсть, зажмурился и, тоненько, еле слышно всхлипнув, побрел дальше, опираясь на собачью спину, как на посох. "Экая ты большущая вымахала, псина, хорррошая моя, меховая, не бросай меня только, ладно? Пожалуйста, не уходи". И собака осталась, тяжело потрусила рядом, послушно приноравливаясь к Хасанову шагу, всегда его любили собаки и никогда не боялись — даже такие вот полудикие пастушеские зверюги, из тех, что лучше человека управляются с отарой, не боятся волков и в одиночку могут сразиться со снежным барсом. Собак этих никто никогда не кормил и не воспитывал, они и сами все знали, живя параллельной людям осмысленной жизнью, полной благородных законов и жестоких правил, — например, суки их уходили рожать в горы и приносили до дюжины круглых угрюмых малышат, но через месяц мать возвращалась к отаре с одним-единственным щенком, но зато этот единственный точно был самым лучшим, и никогда не болел, и легко пробегал за ночь до тридцати неутомимых километров, сбивая тупых овец в правильные блеющие додекаэдры. Ты как выбирала, какого ребенка оставить, а, собака? Как убивала остальных?

А потом дорога перестала скрипеть и хрустеть под ногами, как старческие суставы, задымила бесшумная деревенская пыль, и Хасан, не открывая глаз, почувствовал, как садится солнце, а потом запнулся о порог и еще раз запнулся, потому что зачем открывать глаза, если и без них Хасан видел седьмой позвонок своего любимого сына — круглый, гладкий и беззащитный, как виноградина. Одно едва заметное движение клинка. Одно-единственное движение. Ну, пожалуйста. "Ну, пожалуйста, я больше никогда в жизни... честное слово!"

Когда Хасан ибн Саббах наконец разлепил стиснутые веки, Хасан-младший был уже мертв. Кинжал ровно, как скальпель, рассек его молодую родную шею. И ни собаки. Ни женщины. Ни одной живой души в доме умершего прошлым летом старого сыровара. Только запах. И кровь. И Хасан ибн Саббах.

Зубчатый крючок Фолькмана — острый и тупой. Пластинчатый крючок Фарабефа. Пластинчатый крючок Лангенбека. Пластинчатый крючок Черни. Пластинчатый крючок Морриса. Крючок однозубый костный, острый и тупой. Крючок хирургический острый двузубый. Крючки хирургические четырехзубые, острые и тупые. Крючок для ретракции нерва

Д еньги не дслают человека свободным. Они делают его неуязвимым.

Гостиница "Центральная" действительно оказалась жива. И никуда не делась. Задастая администраторша, освеженная невиданной тысячерублевой купюрой, лично сопроводила дорогого гостя в местный люкс (пятнадцать метров, шаткий стульчак, дохлые мухи, оргазмически взрыкивающий холодильник). И через час провела туда же круглого, негромкого человечка с непроницаемо-участливым лицом — юриста из городской консультации, заказанного Хрипуновым в номер вместе с кофе (администраторша, не растерявшись, приволокла из кухни алюминиевый чайник кипятку, банку "Нескафе" и пару огромных сиротских чашек) и минеральной водой без газа (по очевидной невыполнимости просьба была деликатно оставлена без внимания).

Юрист Хрипунову понравился — несмотря на внешнюю умственную вялость, он с замечательным профессиональным равнодушием выслушал все указания, иногда позволяя себе кое-что уточнить. "Хоронить на Чернядьевском? Ясснък. Памятник — мрамор или гранит? Ясснък. Квартиру продаем сразу? Ясснък. А если есть завещание? Ясснък". Собственно, прокололся он всего два раза. Один раз заметно дернулся, когда Хрипунов выложил три тысячи долларов — ваш гонорар и текущие расходы. Ну, это понятно, московский бы тоже дернулся, но только на тридцати. И еще один раз — когда Хрипунов распорядился деньги, вырученные от продажи родительской квартиры, разделить пополам. Одна часть — на долговременный уход за могилами матери и отца. "Это возможно, я надеюсь? Прекрасно. На оставшуюся сумму, пожалуйста, приведите в порядок морг при городской больнице". — "Морг? — недоверчиво переспросил юрист и даже вынырнул на мгновение на поверхность, плеснув пухлыми липковатыми ластами. — Вы сказали — морг?" Московский себе такого не позволил бы. Не та школа. "Да, морг. Вас что-то смущает? Или в феремовской больнице больше нет морга?" — "Нет-нет, все ясснък". Юрист опомнился и снова сонно погрузился в пучину абсолютного легитимного покоя.

Хрипунов встал — вежливый, нездешний, равнодушный. Синие джинсы, белая визитка, оранжевые глаза. От детства остался только черный завиток на макушке — против солнца, против часовой стрелки, потом сразу — по. Как будто кто-то провел пальцем, рисуя на хрипуновском темени знак бесконечности. "Как у вас забавно растут волосы, Аркадий Владимирович! Это, верно, к роковой любви. Может, мы гелем зафиксируем? Ну, как угодно..." От усталости и дрянного кофе Хрипунов видел все вокруг с небывалой, кристальной четкостью, но звуки из этого промытого сияющего мира доходили с еле ощутимой и очень неприятной задержкой. Будто Хрипунов находился внутри многогранного заторможенного эха. Духотища какая. Только бы не заболеть в этой дыре.

Юрист тоже вскочил, с неожиданной для его комплекции проворностью зашебаршил бумагами, проверяя подписи и печати. "Был оч приятно познакомсс". — "Если не хватит денег, сообщите. Я перечислю, сколько нужно". — "Ясснък. До свидания. Оч приятно, Аркд-Димирыч..." Как только он мягко прикрыл за собой дверь, Хрипунов сообразил, что не спросил самого главного — про дядю Сашу; вполне вероятно, что он еще жив, надо было узнать хотя бы уаадрессс — последнее слово провыло в голове со знакомой подлой протяжностью. Господи, только этого еще не хватало, пожалуйста, только не сейчас!

Хрипунов через край сыпанул в чашку растворимого порошка, плеснул воды, и на бурой поверхности тотчас закрутилась маленькая комкастая воронка.

Черт, вода совсем остыла. Вот ведь гадость. Мне нельзя спать. Нельзя. Неуэльзиаааааааааааааааааа.

Хрипунов захлебнулся горячим воздухом, закашлялся, прикрывая ладонью скрипнувший рот. Песок. Крошечное, как горошина, белое солнце. И вялая, безмолвная груда на горизонте. Это не горы. Это лежит там кто-то. Я знаю. И не надо туда смотреть. Не надо, и все. Не смотри. И не спать. Мне нельзя спать. Я и не сплю. Слишком жарко, чтобы спать, что они топят, как ненормальные, — надо хоть свитер снять, а то сварюсь. Хрипунов непослушными руками потащил ткань через голову, ощущая, как шуршит и потрескивает наэлектризованная шерсть. Боже, жара какая. Никаких сил.

Хрипунов уронил свитер на песок и сам сел рядом, ссутулившись, сунув лоб в колени и чувствуя, как давит на макушку плотная солнечная ладонь. Ноздри щекотал искусственный горячий дух — как будто кто-то рядом разогревал канифоль. Хрипунов, не открывая глаз, видел, как дрожит и расплывается жало чудовищного паяльника. Господи, как жарко, мама. Почему так жарко?

Он с усилием поднял голову — не смотреть на горизонт! Не надо... Но оттуда уже плыла, мягко разгоняясь, крошечная раскаленная точка. Лицо. И уже завела свою длинную гнусавую волынку мертвая голова — Хрипунов только сейчас понял, что мертвая. Я не сплю. Вы слышите — не сплю. Лицо все приближалось — занимая все пространство видимого мира, вытесняя воздух, которым и без того невозможно было дышать, — и Хрипунов обмяк, приготовился к знакомой муке, к раздирающему крику, к ощущению самого полного и совершенного счастья на земле. Ну же, пробормотал он сухими лохматыми губами. Я не сплю. Ну же, давай!

Лицо подплыло вплотную — Господи, как же больно, Господииии — прекрасное, кошмарное, неподвижное. Не запомнить, не воплотить, не передать. Хрипунов пробовал — миллионы раз. Даже если бы он умел рисовать — все равно. Но он не умел. Даже просто удержать в памяти. Абсолютный покой. Абсолютная гармония. Абсолютная власть. Я все могу. Я со всем справлюсь. Я все знаю... Я...

Как хорошо. Сейчас появится цветок, и я проснусь. Я все равно не сплю. Сейчас. Сейчас-сейчас-сейчас. Цветок не появился. Никакого цветка. И только лицо, нарушив все законы неумолимого кошмара, вдруг подернулось волнистой расплывчатой рябью, словно качнули воду в гигантской чашке, — и тут же покрылось сплошной сетью тончайших хирургических надрезов — алых, живых, кровоточащих, и возле каждого надреза замелькали мелкие, понятные только Богу да Хрипунову циферки: угол наклона, расстояние от точки, масштаб, лекальные кривые, штрихпунктиры...

— Сейчас-сейчас-сейчас, — забормотал Хрипунов, разглаживая дрожащими ладонями раскаленный песок, — сейчас, минуточку, я запишу, сейчас-сейчас-сейчас. Пожалуйста! — Лицо, все пронизан-

ное кровавыми линиями, приблизилось к нему
вплотную, коснулось, Хрипунов вскрикнул от много-
игольчатой боли, пытаясь заслониться, и, падая, пе-
реворачиваясь и прикладываясь боком к чему-то
твердому, вдруг понял, что гундосый голос впервые
на его памяти твердит совершенно внятные и человеческие слова — смертьсмертьсмертьсмертьсмерть-
смерть, смерть... Смерть.

В номере было совершенно темно. Бумага! Забуду
же, забуду. Срединная ротовая точка.

Хрипунов вскочил с пола, потирая плечо, кро-
ватка в люксе оказалась стародевической узости,
эк меня угораздило свалиться, Господи, свет здесь
где-нибудь включается, эй? Включается. На кро-
шечном журнальном столике лежали оставленные
юристом копии доверенностей. "Я, Хрипунов Аркадий Владимирович, 1963 года рождения, паспорт
номер..." К черту Аркадия Владимировича! Кривиз-
на и соотношение верхнечелюстного участка, ко-
лонны и долечки... Хрипунов захлопал ладонью
по столешнице — ручка, ну ручка, была же, черт
подери! Вот она. Носолобный угол. Носолицевой.
32, 564. 33, 765. С погрешностью до тысячных.
Ноздрелобулярный угол. Проехали. Теперь схему.
Схему. Фронтальная проекция. Косая. Боковая. Глу-
бина рассечения кожи в височной зоне. Ширина
рта — мозг послушно закончил: в пропорциональ-
ном лице равна расстоянию от щели рта до нижне-
го края подбородка. Лист 62 оборотный. Леонардо
да Винчи. Ошибаешься, старый болван! Ничего по-
добного!

Хрипунов, оскалившись, скрипел бумагой, зачеркивая и вновь обводя прыгающие цифры, пока не услышал у себя за спиной отчетливый, костяной, шизофренический смешок. Еще минута потребовалась на то, чтобы понять, что это смеется он сам. Виски ломило, будто кто-то попробовал проверить голову на спелость, как августовский арбуз. Замечательно. Лучше просто не бывает. Складываем. Еще раз складываем. Теперь в бумажник. Нет, лучше в карман. Еще лучше сжечь. Так надежнее. Хрипунов понаблюдал, как маленькое аутодафе бьется в уродливой пепельнице уродливого чешского хрусталя. Наручные часы бесстрастно показывали, что в столице нашей родины скоро будет час ночи. Здесь, значит, что-то около полуночи. Самое время. Хрипунов быстро обежал глазами номер, подобрал с пола свитер (когда снял, совершенно не помню), взял так и не распакованную дорожную сумку и захлопнул за собой хлипкую гостиничную дверь.

Значит, это была она.

Хасан встал, распрямил плечи, накинул заботливо сложенный женой старый халат. Жизнь вернулась к нему, она снова посвистывала в легких, клокотала в морщинистой межключичной ямке — пусть совсем другая теперь, но все-таки жизнь. Ибн Саббах шагнул на порог, навстречу смеркающейся крепости, отдал несколько коротких распоряжений, и Аламут только теперь, почти через сутки, осмелился тайно перевести дух. На младшую жену Хасан больше не глядел. И она так и осталась сидеть в своем углу, тихая, непреклонная, ночная.

Наутро со всех проворонивших Хасанов кошмар фидаинов содрали кожу. Живьем. А еще через неделю незаметно умерла младшая жена ибн Саббаха. И сразу же после ее похорон Хасану принесли новенький рикк — огромный арабский бубен, тугой, странно теплый, и Хасан сам повесил его на дверь своего дома — чтобы помнили — и сам стукнул по тонкой смуглой коже костяшками старых пальцев. Ос-венн-цимм — низко отозвался бубен, но Хасан только устало покачал головой — не время еще... Слишком рано.

Фонари на Дружбе, 39, не горели. Впрочем, и когда Хрипунов был маленьким, они не баловали сограждан еженощной иллюминацией. На подстанции тоже спать хотят. И потом, пацаны все равно лампы поразгокают. А стране опять же — экономия. Хрипунов, не глуша мотор, вышел из машины и, прорвавшись сквозь неистово сомкнувшиеся кусты, подошел к окнам. К родительским окнам. Дом спал, потный, темный, вонючий. Сучил ногами под пуховыми одеялами, всхрапывал, чесался. Темные окна потели изнутри от тяжелого, нездорового дыхания, капли конденсата ползли вниз, шлепались на горшки с развесистыми геранями и сочными декабристами. Хрипунов задрал голову. Первый этаж, а до сих пор высоко. Вот тут была кухня. Четыре с половиной метра, газовая колонка, подтекающая резиновая трубка, натянутая на кран. Розовая. Вот тут — родительская спальня. Трюмо с баночками, мама говорила — трельяж, польская полировка на неустойчивом супружеском ложе, доверчиво составленном из двух гарнитурных кроватей. Технологический зазор между

ними хрипуновская мама затыкала голубым байковым одеяльцем с белыми полосками. Хрипунов-старший храпел и ворочался во сне, как бетономешал-
ка. Дырка между кроватями его раздражала. А Хрипунов так и вырос на горбатом бордовом диванчике
в "зале" — так в Феремове полагалось именовать
комнату с телевизором, сервизом и сервантом, в которой не ели и не спали, а лишь соприкасались
с прекрасным в виде программы "Время" или
"Утренней почты" с Юрием Николаевым каждую
субботу в девять тридцать утра. "А ну пшел отсюда,
выродок", — процедил в темноте отец так отчетливо, что Хрипунова продрало льдистым ужасом по
всему позвоночнику, словно кто-то знобкими пальцами пробежался по аккордеонным ладам. И, то ли
повинуясь этому страху, то ли сопротивляясь ему,
он быстро наклонился, нашарил под ногами оско-
лок кирпича и со всего маху, так, что хрустнуло
в вывернувшемся плече, швырнул камень в окно
родительской спальни. Стекло на мгновение недоверчиво замерло, словно вспоминая забытые ощу-
щения, и вдруг разом облегченно обрушилось,
обдав кусты хрусткими кинжальными осколками
и торжественным театральным звоном. Хрипунов
постоял растерянно, словно надеялся, что в спальне
вспыхнет свет и — под отцовскую сонную матерщи-
ну — на улицу выглянет мать, вертя круглой головой в смешных бигудюшных барашках. Вместо этого заматерились выше и сбоку, захлопали дверьми,
заголосили, и Хрипунов торопливо протиснулся
сквозь кусты обратно, к урчащей машине, втопил

в пол просторную педаль газа, и к тому моменту, когда озверевшие подъездные обитатели вывалились наконец на ночную улицу, переругиваясь и кутаясь в растянутые кофты, был уже далеко от Феремова. Гораздо дальше, чем нужно.

Ножницы анатомические кишечные прямые. Гильотинные для биопсии бронхов. Ножницы глазные для мышц горизонтально-изогнутые. Ножницы для вскрытия сосудов. Ножницы для рассечения мягких тканей в глубоких полостях вертикально изогнутые. Ножницы для подрезки мышц

Всю обратную дорогу Хрипунов гнал, не останавливаясь, семнадцать с лишним часов, только заправлялся, жадно, как будто никак не мог напиться, да пару раз притормозил у стеклянных гибэдэдэшных "стаканов" и минут по тридцать дремал, ткнувшись лбом в руль, пока провинциальные гаишники, цокая языками, разглядывали невиданную машину с круглыми и злыми, как у хищной птицы, глазами и небритого бледного водителя, который бормотал во сне и вскрикивал, будто пьяный, а потом платил за получасовой неудобный постой как за ночь в заграничной гостинице и опять брал с места, как подорванный, только покрышки взвизгивали. "Слышь, Петрович, а он точно без выхлопа?" — "Да трезвый, говорю те, и стекла, пока спал, не запотели — точно трезвый. Нервный тока какой-то, вона пошел, как на взлет, чуть глушитель нам на память не оставил. Как машину только не жалко... " — "Да денег некуда девать, вот и не жалко. Номера-то московские". — "И чё?" — "Да ниче. В Москве сплошное ворье живет, развалили страну, сволочи, а теперь на иномарках рассекают... "

Хрипунов был бы рад поспать подольше, но не мог, стоило закрыть глаза, как в голове начинало медленно проворачиваться тихое раскатистое слово — "выродок", и это было совершенно точно, просто удивительно, что Хрипунов понял это только сейчас. А ведь столько знаков, ступенька за ступенькой, шаг за шагом... Мать, вероятно, знала всегда. Теперь понятно, почему она была такая... вполнакала. Боялась. Просто боялась. И не знала, что делать. Всю жизнь. А отец, вероятно, только догадывался. Дядя Саша? Ну, этот вообще весь сделан под меня специально. Хрипунов вспомнил мертвую девушку в феремовском морге, и потом сразу же — Альму, московскую сторожевую из своей армейской части, кошмарная была сука, лютая, словно сатана, даже кормили ее только с лопаты, как медведя. А пузо, если разгрести жесткие меховые сосульки, голубоватое, тонкокожее, щенячье. Хрипунов часами сидел у Альмы в вольере, почесывал рваное ухо, и псина лежала смирно, вздыхала и только, клокоча, показывала желто-коричневые клыки, если мимо вольера проходил кто-то чужой. Чужой, не Хрипунов.

Господи, прости меня, какой же я тупой!

Ключ торцовый (из набора для фиксации мыщелков и лодыжек). Коловорот с металлической ручкой с набором фрез. Кронциркуль. Круглогубцы

К пяти часам утра Хрипунов устал так, что забыл нужное соотношение между шириной носа и рта, вернее, на секунду поверил в то, что может забыть, и, дернувшись, немедленно вынырнул на поверхность короткого дорожного обморока. Разобьюсь, уверенно подумал он, и измученный мозг тут же услужливо прокрутил жутковато стрекочущую немую кинохронику — искореженная перевернутая машина, сонные злые гаишники, старенькая областная скорая, и чуть поодаль, на обочине шоссе, накрытое случайной тряпкой туловище, захватанное гигантскими пальцами, как переспелый банан, и такое же мягкое и подтекающее. Не сейчас, успокоил сам себя

Хрипунов, сбрасывая скорость так, что сзади негодующе бибикнул ранний панелевоз, не сейчас, в другой раз, честное слово. Я обещаю.

Он притормозил на обочине, крепко надрал ладонями уши — старый фельдшерский способ на пару секунд привести в разум даже невменяемо пьяного индивида, и немедленно обнаружил, что в салоне на полную мощь орет *CD-changer*, и, должно быть, не первый час, равнодушно меняя один на другой диски Цезарии Эворы — подарок автосалона постоянному клиенту, и это несмотря на то, что Хрипунов, кажется, совершенно ясно объяснил, что не переносит никакого постороннего шума. Ритмически организованного — особенно.

Если верить карте, до Москвы оставалось верст триста с небольшим. Медленно подползал рассвет — среднерусский, кисленький, невзрачный. Спать не было никакого смысла, лучше добраться до ближайшего городка и попытаться найти чашку приличного кофе или хотя бы приличного попутчика на пару часов — вот только неизвестно, какая из этих двух субстанций меньше принадлежит к миру абсолютной фантастики. Городок обнаружился немедленно, один из многих, смыкающих жадное кольцо вокруг вожделенной столицы с ее жирными дотациями и восхитительным разгулом. На окраинах — в прорехах нескончаемых бетонных заборов — мелькали вполне деревенские домики с наличниками, козами и непролазным вишенником. Но кое-где торчали и многоэтажные мавзолеи красного кирпича, по большей части недостроенные, конечно, — следы простодушной жизнедеятельности первого поколения новорусской буржуазии той наивной эпохи, когда о Рублевском шоссе можно было только мечтать, но на буколику при этом все равно тянуло неудержимо. Ближе к центру обнаружились кое-какие следы цивилизации, но в целом это был все тот же неизбывный Феремов, и Хрипунов даже подумал, что не стоило, пожалуй, тащиться в поисках утраченного детства так далеко.

О кофе в пятом часу утра здесь, разумеется, можно было только мечтать, хотя Хрипунов мудро обнаружил автовокзальчик, который, по-хорошему, просто обязан был питать граждан духовной и прочей пищей в круглосуточном режиме. Но вокзальчик смог похвастаться одним-единственным недремлющим ларьком (презервативы, водка, просроченный шоколад и пугающе разноцветные ликеры, не виданные Хрипуновым с 1992 года), одной-единственной скамьей ожидания и единственной же теткой, но зато с двумя синеклетчатыми сумками, набитыми до тихого насекомого треска. Завидев незнакомую иноземную машину, тетка предусмотрительно подтянула свои несметные сокровища поближе и одарила Хрипунова взглядом, в котором яростная готовность дать отпор неведомому захватчику была трогательно перемешана с наивной верой в то, что захватчик и есть тот самый белый прынц под алыми парусами, в ожидании которого бессмысленно и незаметно прошла целая жизнь. Блаженна страна, в которой женщины смотрят так на мужчин, в ней всегда найдутся приют и работа бродячим демографам.

Ясное дело, тетка, напрасно ожидавшая первого автобуса до Москвы (заглохший желтый "Икарус", кстати, так и не сумел покинуть гараж, и не местному шоферюге было пытаться преодолеть ход тысячелетних шестеренок, заклинивших было намертво и только теперь облегченно набиравших жуткий неостановимый ход), так вот, тетка, разумеется, какое-то время стояла насмерть, пораженная в самое сердце предложением незнакомого интересного мужчины подкинуть ее прямо до Москвы на невиданной колеснице. Но, перебросившись с Хрипуновым десятком быстрых и бессмысленных для нерусского человека фраз — мешанина из анкетных сведений и наблюдений за погодными явлениями и курсом иностранных валют, — она заметно подтаяла и даже машинально ощупала обширный лифчик, этот незаменимый бумажник российских красавиц, сравнимый разве что с карманом, пришитым изнутри к парадным белым трусам, но это уже для грандиозных сумм и непредвиденно дальней дороги. Хрипунов жест мгновенно считал и уверил тетку, что в деньгах не нуждается, просто устал, потому что сутки добирается с похорон матери — "Вы понимаете, я за рулем боюсь заснуть, а с попутчиком легче, и вы доберетесь в три раза быстрее, вам куда в Москве? Большой Казенный? Знаю, конечно, бывшая Гайдара, да что вы — какое беспокойство, это я вам благодарен, присаживайтесь, да не испачкаете вы ничего, какие пустяки".

Такие бурные уговоры выжали из Хрипунова последнюю жизнь, поэтому до Москвы добирались ис-

ключительно на энергии неумолкавшей тетки, которая — господи, да какая же она тетка, ей и сорока
еще нету, наверно, мне ровесница, и лет в пятнадцать наверняка была совершенная красотка и чья-то
бессмертная, ознобная, первая любовь, а в шестнадцать зачем-то вышла замуж за развязного усатого по-
донка и родила мальчиков-близняшек, а потом еще
одного, через год, только мертвенького, и обрюхате-
ла, обабилась, обрюзгла, только голос все такой же —
как будто кто-то высыпал серебряные ложечки на
треснувший стеклянный поднос, голос бывшей красавицы, аромат чьей-то вдребезги разбитой жизни.
Почему у первой любви всегда такая жуткая судьба,
почему у меня ее не было — ни первой, ни третьей,
ни второй?

До общаги теткиных близняшек, догрызавших
в Москве высшее образование — какое именно, Хрипунов не вник, — добрались едва ли не родственни-
ками, хотя Хрипунов и трех слов не сказал за всю
дорогу, только слабо улыбался, будто приходя в себя
после кошмарной болезни, и тетка все совала ему
яблоки из собственного сада, мелкую антоновку, всю
в шершавых пятнах многолетней парши, и Хрипунов взял, нельзя было не взять — от детей оторвано,
и яблоки так и валялись в бардачке много месяцев,
такие дрянные, что даже гниль не брала, пока их не
откопала случайно Анна и не съела — с отвратитель-
ным оскомным хрустом. Вечно она тянула в рот вся-
кую несъедобную кислятину, пока огромные сочные
персики с Ленинградского рынка, выложенные
в просторную вазу, не становились скользкими от

нежнейшей сероватой плесени, мягкой, словно первый пушок на младенческой голове.

Чем реже общаешься с людьми, тем проще совершать человеческие поступки — добравшись до Большого Казенного переулка, Хрипунов, сам себе тихо удивляясь, вызвался впереть неподъемные клеенчатые сумки на нужный этаж, по ощущениям — сотый, в реальности — шестой, и, выгрузив их у комнаты, уже готов был откланяться, но дверь, по неумолимым законам наказания добра, оказалась заперта, близнецы, несмотря на раннюю пору, где-то развлекались, и тетка, хлопоча всем туловищем, стремительно убежала искать их по одной ей ведомым явкам, безжалостно бросив Хрипунова в темном коридоре, пропитанном ароматами вечной тухлятины и нестрашной молодой нищеты, которая еще надеется на то, что все это — черновик, и потом, очень скоро, наступит настоящая жизнь, которую можно будет прожить набело — счастливо и хорошо.

Хрипунов остался, добровольный страж двух чудовищных сумок, памятник собственному идиотизму, бессильно прижатый спиной к стене, наспех замалеванной бурой масляной краской. Надо ехать. Собраться с силами и ехать отсюда, к чертовой матери, а послезавтра взять отпуск, нет, лучше прямо завтра, и махнуть куда-нибудь подальше — на Бали, например, хотя там, говорят, последнее время слишком много наших, тогда лучше в Новую Зеландию. Дней на двадцать. А еще лучше — насовсем. Купить дом на берегу океана, чтобы ближайшие соседи — километров за сто, и валяться целыми днями на берегу, пропитываясь солнцем и с ужасом ожидая, как в один прекрасный день по пляжу прибредет очередная ненормальная пациентка, которой срочно требуется перекроить нос и подбородок, иначе она покончит с собой от отчаяния и несбывшихся надежд прямо сейчас, доктор, не верите? Прямо сейчас!

Хрипунов открыл колючие от недосыпа глаза — никакого пляжа, один сплошной бесконечный коридор, мрачный, как моя жизнь, и по нему, шлепая мокрыми вьетнамками, идет какая-то девица, судя по чудовищному халату, местная обитательница. Как они выживают тут, эти дети подземелья, господи, а что я делаю здесь в восемь утра, какого черта мне вообще нужно? Похоже, девицу заботила та же самая мысль, потому что, подобравшись поближе и тыкая ключом в соседнюю с Хрипуновым дверь, она спросила неожиданно низким, чуть шероховатым на ощупь голосом: "Простите, вы не к Зефировым?" И тут ее чертова дверь наконец, взвизгнув, распахнулась, выпустив кубометр пыльного истосковавшегося солнца, которое жадно выхватило из коридорного мрака хрипуновский локоть, запотевший целлофановый мешочек, сквозь который доверчиво просвечивали зубная щетка и красная мыльница, банное полотенце, улиткой скрученное на девициной голове, и ее лицо. Господи. Ее лицо.

Он мог бы вырезать всех новорожденных в округе. И даже во всей Персии — запросто. В конце концов люди Хасана достали самого маркграфа Конрада Монферратского — здоровенного мужика, ярого тамплиера и пропойцу, взявшего в свое время святой город Иерусалим. В Иерусалиме его и убили — быстро, жестоко, прямо в храме в разгар праздничной литургии. Это была невероятно изящная и многоходовая комбинация — даже через десятки лет, вспоминая ее, Хасан ибн Саббах довольно прищелкивал языком, словно мальчишка, соорудивший первую в своей жизни Настоящую Рогатку. Два агента под прикрытием (ибн Саббах сам долгие месяцы натаскивал их — лично! — гоняя то по катехизису, то по горам), два смиренных арабских юноши с тонкими руками великомучеников, прибыли в Иерусалим, чтобы припасть к истокам новой веры. Их охотно крестили (еще бы, такая рекламная акция, такой геббельсовский пропагандистский трюк!), а через год подробнейшей, постнейшей, христианнейшей жизни на виду у старых ведьм, злобных фанатиков и искушенных церковных иерархов и вовсе постригли в монахи.

Ах, сколько людей, простых, смертных, жадных людей было замешано в эту разработку, сколько подкуплено, запугано, сколько использовано втемную! Подобраться к Конраду вплотную помог сам Ричард Львиное Сердце, хрестоматийный рыцарь, истовый христианин, вернейший друг Хасана ибн Саббаха — сколько они оказали друг другу маленьких деликатных услуг! Вот кто прекрасно знал, что делает, с потрохами сдавая маркграфа Монферратского хасановским фидаинам. А что уж не поделили два благородных дона — прекрасную ли даму в тонкой липкой сорочке (таковую сменяли раз в год на святую Пасху) или прекрасную провинцию, полную белозадых оленей и белозадых же пейзанок, — Хасану, если честно, было плевать. Главное, что его люди узнали день, когда Конрад Монферратский придет в храм. И были наготове.

Первый кинжал от смиренного монаха маркграф получил прямо у алтаря — понятное дело, фидаина мгновенно растерзала взбеленившаяся толпа, возбужденная духотой, кровью и воем Конрада, который бился на храмовом полу, как зарезанный хряк. Слегка опомнившись, паства, вся по колено в ошметках предательской плоти, поволокла бледного маркграфа на воздух — оценивать масштаб бедствия, молиться и причитать. Невозмутимо сидевший у церковной ограды второй монах, завидев праздничное шествие, встал и, растолкав плечами сброд, протиснулся к Конраду.

До 1228 года было слишком далеко, никто не собирал еще в Вюрцбуре епископский собор, чтобы провозгласить на весь мир, что священнослужителю не место в бою или в операционной. *Ecclesia abhorret a sanguine!* Церковь от крови отвращается! Еще никто не твердил на каждом углу эту ханжескую фразу, и потому монаха послушно пропустили, кроме них ведь в ту пору толком и не лечил никто, а божьи человеки знали, что первейшее средство от вражеского клинка — теплый мед, смешанный с оливковым соком и кровью летучей мыши. Вот только вместо чудесного притирания фидаин вынул из просторного рясного рукава маленький, игрушечный почти ножичек и с тихим страшным хрустом вскрыл маркграфу булькнувшее горло. И — с тем же хрустом — воткнул крошечное лезвие в свою собственную сонную артерию: вот здесь она, мальчик, запомни, вот здесь — и ты умрешь быстро. И легко.

Что были человеческие детеныши с их мягкими щенячьими пузиками и бессильными мамашами рядом с этой роскошной и опасной многоходовкой? Да ничего.

А визирь Низам ал-Мулк, великий и мудрейший, льстивый прислужник Малик-шаха, зарезанный 18 сентября 1092 года, в пятницу, в тихом селении Сахна близ Нехавенда? Ведь Хасан ибн Саббах предупреждал старого проныру, честно просил не путаться под ногами с занудными проповедями, у Хасана тогда была туча неотложных дел в Исфахане, он просто с ног сбивался, решая вопросы — между прочим, государственной важности. А Низам ал-Мулк возьми да и прихвати за кадык местного клерка, тихого человечка, тайного сторонника исмаилитов; сколько делишек делалось через него — и при помощи самой скромной мзды! Потому что лучший агент — это даже не тот, кто стучит со страху. А тот, кто искренне мечтает послужить великой идее. Правда, идейные агенты отличаются чересчур слабой нервной организацией. Клерка сволокли в кутузку, где он — и клещи не показывай — непременно раскололся бы до задницы, а дальше развалился бы и сам. И уж точно наболтал бы визирю слишком много лишнего; жаль, толковый был писарь, Хасан с тяжелым сердцем приказал пришить его прямо в камере — тихо и не больно.

Но и на Хасана случилась проруха, визирь тоже оказался не дурак, и присланного фидаинчика, молодого, неопытного, но рьяного олуха, сцапали, так сказать, прямо при исполнении и показательно казнили, истерзав предварительно так, что самим стало жутко. Но парень смолчал, потому как ровным счетом ничего и не знал и через то помер настоящим героем — Хасан даже зашипел от злости, треснув кулаком по безучастной стене. И объявил Низам ал-Мулку личный джихад.

Визирь какое-то время сторожился, перешел, опасаясь яда, на скромный сухой паек, натыкал всюду личной охраны, но если Хасан ибн Саббах и владел чем-то в совершенстве, так это искусством терпеливо ждать. Он знал, что бдительность засыпает быстро, словно наигравшийся за долгий день ребенок, который сперва возбужденно болтает, вздрагивает от малейшего шума, а потом, глядишь, и... И вот уже титулованный Низам засобирался в Багдад, а дорога дальняя, почему бы нам не остановиться в Сахне? Прекрасное место для недолгого отдыха. А какие здесь достопримечательности! Посмотрите направо, друзья, вот кладбище, где покоятся соратники самого Пророка, да благословит его Аллах и приветствует, отдавшие свои жизни в битве при Нехавенде в 21 году хиджры. Тихий ангел смерти пролетел над примолкшей свитой Низама ал-Мулка, шевельнув опущенные ресницы и смиренно повисшие бороды. Какое счастье для человека, который будет лежать рядом с ними! — пробормотал впечатленный визирь, и тем же вечером к нему заглянул хозяин постоялого двора, горбатый угодливый старикашка, спросить, не угодно ли великому визирю перед сном напиться свежей водицы. Визирю не было угодно, за что он и получил свой нож в брюхо и предусмотрительно заказанную могилу рядом с верными слугами Пророка.

Озверевший от злости Малик-шах, потерявший своего лучшего царедворца, собрал нешуточную армию, намереваясь, если понадобится, выкурить Хасана ибн Саббаха из всех его дьявольских крепостей разом. Но — вот незадача! — не прошло и тридцати шести дней со смерти визиря, как шах неизвестно отчего помер сам. Так что Низам ал-Мулк не успел даже толком соскучиться на том свете, как Малик-шах вновь заключил его в бледные изумленные объятия.

А убитый князь Раймунд Триполийский? А глупый персидский халиф, который, ворочаясь в сладкой предутренней дреме, рассек толстую щеку о дрожащий кинжал, пришпиливший к подушке быструю любовную записку от Хасана: "То, что положено возле твоей головы, может быть воткнуто в твое сердце". Засранец так трусил после этого, что пришлось прирезать его из элементарного гуманизма. А восемь государей? Шесть визирей — помимо Низама? А несносный занудный болтун — великий ученый Абу-ал-Махасин? А не считанные никем, кроме рыдающей родни, купцы, солдаты, чиновники, стоявшие на пути Хасана ибн Саббаха? И не на пути даже — на обочине дороги, ведущей его к абсолютному покою?

Все они теперь в раю — вкушают запретное вино и терпкие мохнатые персики.

Конечно, после такого послужного списка можно было приказать перерезать не только младенцев, но даже их мамаш, переплюнув самого царя Ирода, но Хасан ибн Саббах слишком устал. И слишком хорошо понимал, что той, которая ему нужна, все равно нет в Персии. И давно. Она не стала бы рисковать — с этаким-то детонатором в раздутом, как атомная бомба, пузе. Он сам точно не стал бы. А значит, и она уже где-то далеко-далеко. И — Хасану ибн Саббаху очень хотелось верить — в тепле и покое. Сидит, покачивая у груди сонного насосавшегося ребенка (Хасан твердо знал, что, несмотря на видение, родится дочка, а от нее еще одна, и еще, и так еще девятьсот с лишним лет — пока не настанет наконец время мальчика, судьбу которого знал только Исам) и задремывая сама, ждет, когда малышка закроет наконец глаза — быстрые, золотые, сияющие глаза маленькой газели с чуть попорченной временем персидской миниатюры. Точно такие же, как у мамы. "Чш-ш-ш-ш-ш, — бормочет Хасан... — Спите спокойно, девочки. Убить всех младенцев в мире не под силу даже Хасану ибн Саббаху".

И потом — сколько можно убивать?

Зеркало гортанное. Зеркало двухстороннее по Ричардсону. Зеркало для брюшной стенки с шириной ложки 100 мм. Зеркало для левой доли печени. Зеркало для мочевого пузыря. Зеркало для отведения печени. Зеркало для отведения почек. Зеркало носовое. Зеркало для сердца и легких проволочное. Зеркало печеночное, изогнутое под углом 90 градусов. Зеркало-крючок, защитное

Три дня ушло на то, чтобы убедить себя в том, что это была просто игра усталости со светом, ты ведь уже дважды ошибался, Хрипунов, — тогда, в морге, и потом еще раз — уже в клинике, когда Арсен прислал новенькую модельку на ринопластику, нос ему, видите ли, ее мешал, и тебе показалось, что есть что-то общее, и если откорректировать скулы парой имплантов... Хорошо, что это был Арсен и все мирно закончилось парой бесплатных силиконовых протезов, которые пришлось вмонтировать ничего не понимающей красотке в ее кукольную, недоразвитую грудь. С новыми скулами и кремнийорганическим бюстом она стала похожа на карикатурную шлюшку из советского журнала "Крокодил". Арсен был на седьмом небе и даже, кажется, переспал с ней два раза подряд, изменив своему священному долгу профессионального сводника... Ты хочешь еще одну жестокую пародию, а, Хрипунов?

На четвертый день он стоял у той самой общажной двери (номер шестьдесят восемь), пытаясь затолкать обратно многоугольный воздух, и, слава частному сыску, знал о той, что крикнула в ответ на его стук — щас, минуточку! — практически все. Имя: Анна Александровна Аной. Год рождения: 1981. Место рождения: город Николаевск, РФ. Паспорт: 56 94, № 541300. Место учебы... курс... по мнению педагогов... ближайшим окружением характеризуется... свободное время привыкла проводить... Хрипунов не знал только одного — правда ли, что линия ее скул и носо-лицевой угол...

Дверь негромко ахнула. Черный свитерок, тощие джинсы, негустой хвостик какого-то жалкого, буро-мышиного цвета, удивленные глаза, почти белые, почти прозрачные, почти неуловимо приподнятые к вискам: "Простите, вы ко мне?" Хрипунов молча взял ее за плечи и развернул лицом к свету.

Правда.

Правда.

Правда.

Иглодержатели-ножницы. Иглодержатель глазной микрохирургический. Для глубоких полостей детский. Иглодержатель общехирургический. Иглодержатель сосудистый

Хрипунову почему-то казалось, что это будет невероятно сложно, заранее нагромождены были какие-то несусветные турусы на колесах, какая-то грандиозная, чуть ли не геббельсовская брехня про Париж и мировую карьеру супермодной супермодели — вся эта паточная предпостельная болтовня, взрослая замена детского затаенного соблазна — девочка, хочешь сниматься в кино? Но она даже не дослушала, кажется, согласилась на операцию — на операцию! — после первого же условного букета, после единственного неловкого чаепития в отвратительной модной кофейне. Хрипунову показалось, что кофейня будет уместнее — шумное дневное заведение с влюбленными парочками, вертлявыми девицами и коричными сердечками на толстых шапках скверного капучино. Что показалось ей, неизвестно, кто вообще может понять женщин, что они сами могут понять? Но Анна согласилась, как соглашалась почти со всем, что говорил и делал Хрипунов, он мимолетно подумал — как мама, и еще — фактура, конечно, подходящая, но одной операции явно будет недостаточно, губы придется корректировать, менять линию лба, разумеется, ринопластика, кончик носа никуда не годится, но скулы, господи! Весь лицевой скелет!

— Аркадий Владимирович! А вы в Париже когда-нибудь были? — Заглядывает в глаза, как дворняжка, как будто заранее в чем-то виновата и заранее готова к недовольному пинку, виляет маленькой душой, припадает на слабые лапы и не надеясь понравиться, и не смея на это надеяться. И потом, к чему тут Париж, я бы спросил: а какого черта, Аркадий Владимирович, вам от меня нужно? Зачем вы будете пластовать мое лицо ни за что ни про что? Что вы вообще себе позволяете?

— Грязный, душный город, битком набитый немцами и японцами. К тому же француженки кривоноги и скверно пахнут.

Мгновенно пригасла, даже съежилась испуганно, звенит неосторожной ложечкой по краю чашки и пугается еще больше, до бледности, до обморока, до дурноты. В сущности — некрасивая. В сущности — провинциальная. В сущности — я совершенно не знаю, что у нее внутри. И еще больше не знаю, что будет дальше.

Первая операция прошла удачно, но с ринопластикой, впервые в хрипуновской практике, что-то получилось не так, видимо, он слишком поторопился или чересчур переволновался, но отеки сходили тяжело. Анна безропотно мучилась от тихой непрерывной боли, и как-то само собой вышло, что Хрипунов привез ее из клиники не в общежитие, а к себе в квартиру на "Аэропорте", огромную и необжитую, как вокзал. "Так быстрее пройдет реабилитация, Аня, потому что нос, к сожалению, придется делать еще раз. Результат меня, честно говоря, не вполне устраивает. Точнее, не устраивает вполне". Она снова не возразила, опухшая, черно-желтая, с громадными кровоподтеками под измученными глазами. Про супермодельное супербудущее они больше не говорили — в сущности, Хрипунов кромсал ее, как вивисектор, как в детстве резал дяди-Сашины трупы, не спрашивая, не ожидая возражений.

Импланты в области подбородка. Лазерная шлифовка — шесть процедур. Восстановительный период четыре недели. Миостимуляция — пятнадцать сеансов. Месяц перерыва. Мезотерапия — десять, нет, двенадцать инъекций. Три недели на ожидаемый результат. Стволовые клетки. А теперь еще разочек сделаем рентген. Две недели. Еще одна операция, третья. Они жили в одной квартире как несуществующие соседи, в клинике Хрипунов лаконично сказал — моя племянница, а мог бы и вообще ничего не объяснять. Каждый день он уезжал на работу, возвращался, она выходила к дверям, скособочив голову от радостного смущения, и он, не раздевшись, не опомнившись, прощупывал ее лицо холодными жадными пальцами сумасшедшего слепца, проминал, как будто хотел вылепить заново, как будто что-то мог изменить. Потом переводил дух и коротко распоряжался — селен больше не пить. С завтрашнего дня — двухнедельный курс энтеросгеля. Она опускала глаза, послушно кивала, и каждый раз Хрипунову казалось, что он забыл сделать что-то очень важное. Сделать или сказать.

Однажды утром он проснулся от отвратительного запаха, тошнотворно-сладкого, знакомого, было часов пять — рано даже для него, для первой чашки кофе, первой сигареты, он любил бывать по утрам один, да, собственно, он всегда и был один: Анна, бросившая институт (давай выбирать, девочка, — или одно, или другое), вставала не раньше одиннадцати, экономка приходила в десять, все жили в разных измерениях. Каждый — в своем. Пахло все сильнее, и Хрипунов нехотя вылез из постели. Упражнения для кистей рук. Десять, девять, восемь... Ледяной душ. Лезвие с тихим хрустом ползет по щеке, сизоватой, худой — по-хорошему при такой щетине бриться надо два раза в день, но лень. Хоть что-то могу я в жизни делать неправильно? *Crave* воткнул в лицо миллион цитрусовых иголок. Но чем это воняет в доме, черт возьми?

На темной предрассветной кухне сидела Анна в лиловом табачном нимбе, на столе — две тарелки с манной кашей, крутой и круглой, как коленка привокзальной буфетчицы, две дымящиеся чашки с чаем, маленькая заполошная свечка, заплакавшая синее блюдце.

Хрипунов взял свою порцию, вывалил в мусорное ведро, отобрал у Анны сигарету, отправил туда же, сел напротив, жадно, обжигаясь, закурил.

— Ненавижу манную кашу. С детства.

Она помолчала, собираясь с силами, а потом виновато сказала:

— Сегодня полгода, как мы знакомы.

Хрипунов поднял глаза от пепельницы — те же джинсики, тот же свитерок, даже хвост стянут той же аптечной резинкой, только волосы стали лучше, налились живым рыжеватым блеском, да за окном летит на фонарный свет мартовский снег, жалкий, грязноватый, сиротский. Полгода. Он встал и в первый раз за все это время обнял ее, прижал к себе, головой к животу, как маленькую, пробормотал успокоительно, чувствуя, как прыгают под ладонью острые плечи, — прости меня, ребенок, я правда не хотел, ну прости, потерпи еще самую малость...

В тот день он приехал из клиники на час раньше обычного с огромным букетом долгоногих роз и немедленно потащил растерянную Анну по магазинам, один Бог знал, как он их ненавидел. "Вот эту дубленку, пожалуйста, и эту, нет, мерить мы не будем. Три вон тех свитера и вот этот. И джинсы к ним, нет, не эти. Да, спасибо". Наверно, надо было позволить ей самой, но Анна стеснялась — своих дурацких ботинок, дешевой куртки, заоблачных цен, вертлявых заносчивых продавщиц. Оживилась она только один раз, потянувшись к какому-то жуткому платью, красному, синтетическому, с возмутительными бисерными висюльками по драному подолу, но Хрипунов одернул ее одним взглядом и подтолкнул к бесконечным рядам пыточных остроносых туфель. "Я не умею на таких шпильках..." Ничего, научишься.

Перед сном он постучал к ней в комнату — Анна, ссутулившись, сидела на постели, куча неразобранных пакетов громоздилась в углу. Хрипунов протянул ей кредитку. "Распрями плечи. Это тебе на всякие мелочи". Она кивнула. "Завтра купишь себе мобильный". Она кивнула еще раз и тихо спросила: "Чеки вам отдавать?" — "Какие чеки, — не понял Хрипунов, — у нас на следующей неделе еще одна ринопластика. Хотелось бы, чтоб последняя. И еще — впредь никаких сигарет. Ни при каких обстоятельствах. Ни до операции. Ни после. Надеюсь, это будет понятно с первого раза. Спокойной ночи".

Крючок пластинчатый по Дюпюитрену. Крючок пластинчатый парный (по Фарабефу). Сухожильный для пластики кисти однозубый. Крючок хирургический двухзубый острый. Крючок-канюля по Азнабаеву. Крючок для раздвигания краев раны на веках

В начале мая, когда с лица Анны сошли наконец все синяки и отеки, Хрипунов привел ее в смотровой кабинет и под безжизненным, ослепительным светом гигантских ламп (ни единой тени, ни единой помехи, ни единого сомнения) осмотрел получившуюся работу. Он не сделал ни одной ошибки. Сохранил все пропорции. Учел все до тысячных после каждой запятой. Это должно было быть то самое лицо, которое он хотел. Должно было быть. Но — не стало. У него ничего не получилось.

Ничего.

Анна доверчиво сидела на стуле, сложив на коленях маленькие твердые руки.

— У тебя есть купальник? — мертвым голосом сказал Хрипунов, и она вскинула на него растерянные перепуганные глаза.

— Нет.

— Тогда купи. Послезавтра мы улетаем в Италию.

— Зачем? — растерянно спросила она.

И Хрипунов, чувствуя, как неудержимо дрожит и дергается подбородок, честно ответил:

— Не знаю.

ЧАСТЬ ЧЕТВЕРТАЯ
Жертва

Ресторан был, по хрипуновским привычкам и понятиям, так себе — типичное пятизвездное заведение с загнанными официантами, пафосным меню и посудой, которая изо всех сил делала вид, что принадлежит к первому классу. Впрочем, немцев почти не было, но ведь приличные люди вообще не ездят туда, где много немцев.

Хрипунов посмотрел на часы — двадцать ноль пять — и непроизвольно поморщился. Он, кажется, ясно сказал, что ужинать будем в восемь. И тут же, словно повинуясь его недовольству, в дверях появилась Анна в очень простом, очень открытом, очень легком платье, на груди и на бедрах отливавшем почти ночной бархатистой чернотой, но все-таки не в черном — густо-густо фиалковом, даже анютино-глазковом.

В хрипуновском детстве эти цветы с насупленными, почти гитлеровскими мордочками неизбежно втыкали во все городские клумбы. Волосы приглажены до атласистого, живого блеска и стянуты на затылке (слава богу, аптечную резинку он выкинул своими руками), губы и незагорелые, желтоватые плечи чуть-чуть блестят. Несколько скучающих самцов проводили ее быстрыми щупающими взглядами: неплохо, может быть, даже очень неплохо. Но разве этого он хотел?

— Извините, что опоздала.

— Ничего.

Они поужинали молча, будто супруги, истомленные тридцатью и тремя годами брака — такого скучного, что ни у кого не осталось сил ни на ненависть, ни на заботу. "Чай или кофе?" — машинально поинтересовался Хрипунов, отодвигая едва тронутую тарелку и заранее зная то же самое, что знала она: нельзя ни того ни другого, тем более на ночь, утром под глазами будут мешки, а вот восемь стаканов ледяной воды в течение дня — норма, обязательная к исполнению, не выпьешь в течение дня — заставлю проглотить все восемь разом. А туалет запру на ключ.

Анна поправила на плече бретельку, которая, если честно, никуда не собиралась скользить, и спросила: "А можно мороженого?" Робко спросила, ни на что не надеясь. Просто так. И Хрипунов подумал: а собственно, почему? Какая теперь разница? Пусть ест свое несчастное мороженое, в конце концов, он вообще слишком много ей запрещал: резко двигаться — швы, курить — кожа, капризничать — без комментариев, есть сладкое и жирное — мне плевать на твою фигуру, но девушка с сальными валиками на талии вряд ли добьется чего-нибудь в жизни, даже если у нее будет самое прекрасное в мире лицо. "И настоятельно прошу, не болтайся одна по улицам; если тебе куда-нибудь надо — я пришлю машину с водителем. Да потому, что я лучше тебя знаю, что тебе нужно. Понимаешь? Лучше!"

В конце концов, он в жизни не заботился так ни об одном существе — ни о живом, ни о мертвом. Теперь в этой заботе не было ни малейшего смысла. Через десять дней они расстанутся, и это достаточный срок, чтобы она как следует отдохнула, а он решил, как спихнуть ее такую — недоделанную — в новую жизнь, минимизировав все душевные расходы...

— Мороженое? Ну что ж, по-моему, ты его заслужила.

Ложка гинекологическая двухсторонняя (Фолькмана). Ложка глазная острая большая жесткая. Ложка глазная тупая малая жесткая. Для выскабливания свищей двухсторонняя. Для извлечения камней из мочевого пузыря. Ложка для операций на позвоночнике острая, сильноизогнутая. Для хрусталиковой массы по Греффе. Ложка ушная острая большая. Ложка для чистки кости

Официант, сдержанно мерцая, нес на подносе матовую вазочку, набитую подмякающими разноцветными шарами. Сверху сложносочиненная конструкция была обильно декорирована вафельными трубочками, блямбами взбитых сливок, свежей малиной, шоколадом и даже совсем уже несъедобным махоньким зонтиком из папиросной бумаги — такими клиентов обычно отвлекают от сомнительного качества очередного коктейля. Хрипунов недовольно поморщился: мало того что, по его мнению, есть такую приторную дрянь было невозможно в принципе, эту конкретную приторную дрянь есть было еще и откровенно неудобно. В самом банальном конструкторском смысле. Совершенно неэргономичная еда.

Но Анна, завидев праздничное десертное шествие, по-детски просияла и вдруг — впервые на хрипуновской памяти — улыбнулась необыкновенной, яркой, совершенно не соответствующей такому ничтожному и идиотскому, в сущности, поводу улыбкой. Улыбка была быстрой, почти мгновенной, как галька, летящая в речную ребристую воду, но тень этой секундной улыбки, легко скользя по ее лицу, вдруг начала наполнять мир торжественным, неторопливым, грозным смыслом. Тем самым. Да, точно, тем самым.

Хрипунов, пытаясь пристроить к краю пепельницы непослушную, немеющую, словно парализованную руку с тонко, страшно и беззвучно дымящимся окурком, завороженно смотрел на чуть изогнутую верхнюю губу, подернутые пушистым светом высокие скулы и крошечную, не предусмотренную никакими операциями ямочку в углу сияющего рта. Это было оно. Лицо. То самое лицо из кошмара — лицо, которое мучило и преследовало его всю жизнь.

Было абсолютно, немыслимо, оглушительно тихо. Хрипунов, чувствуя, как сжимает его со всех сторон густой стеклянистый безмолвный воздух, зачем-то машинально взглянул на часы — двадцать один час пять минут. Анна, хотел позвать он, но не сумел и только простонал мысленно: Ааааа... Но она все равно почувствовала и, все еще (на самых кончиках ресниц) удерживая тающую, плывущую улыбку, медленно, словно в аквариуме, повернула голову и заглянула Хрипунову прямо в глаза — своими огромными, неподвижными, ярко-бледными, полупрозрачными глазищами. И вдруг все кругом — все-все-все — разом сложилось волшебным и счастливым образом: так складывается пазл, так собираются цветные стекляшки в картонной обтрепанной трубке и, отразившись в трех зеркальных гранях, вдруг наполняют распахнутый глаз ребенка абсолютной, божественной, переливчатой гармонией. Мир был совершенно ясен, прост, он лежал на хрипуновской ладони — крошечный, влажный, разноцветный, пульсирующий, невероятно живой... Хрипунов медленно, страшно медленно — со скоростью мезозойских ледников — поднес к губам распахнутую ладонь и, уже ощущая губами близкое биение и нестерпимый жар, вдруг почувствовал, как откуда-то изнутри и одновременно как будто сбоку или даже сверху — да как же это? такое же просто физически невозможно! — на него, как в детстве, наплывает высокий, пронзительный, невыносимый *мозговой крик*.

Орала толстая канадка, принявшая на бугристый, выпирающий из платья, багровый от загара загривок вазочку с мороженым. Обломки вафельных трубочек и махонький зонтик покоились на ее блондинистой, замысловато уложенной, глупой голове — бесстыдно и одновременно целомудренно, словно смешные трогательные вещицы (карамелька, помада, тампон), выпавшие на виду у всех из расстегнувшейся дамской сумочки. На пол-октавы ниже канадки голосил канадкин муж — крепкий старикан в мятом полотняном костюме, заточенный в тесный стул, из которого он мучительно и безуспешно пытался вырваться, чтобы расправиться с безруким официантом. Официант, пепельно-бледный, словно дорогая льняная скатерть, и весь обвешанный крупными, как чирьи, каплями пота, напротив, молчал, будто получил по лбу бетонной стеной, и никаких попыток спасти мороженое (или хотя бы канадку) не делал. А только таращил потрясенную физиономию на Анну, громко, на весь ресторан, ахнувшую от жалости, неожиданности и испуга.

Хрипунов крепко тряхнул шумящей головой, отгоняя медленно уползающий морок, и воткнул наконец сигарету в пепельницу. Часы на его запястье равнодушно показывали двадцать один час пять минут — только секундная стрелка тряслась на пару миллиметров восточнее прежнего направления. Надо же — целая жизнь прошла незамеченной. Целая жизнь... Анна все разглядывала погибший десерт, прижав к груди маленькую ладошку и сочувственно, как белка, цокая языком. А из дальнего угла ресторана уже несся, рискованно наклоняясь на поворотах, юркий метрдотель, ухитряясь одновременно метать в остолбенелого подчиненного далекие, рокочущие молнии и сладко улыбаться любопытно тянущим шеи курортникам, которым любое происшествие, будь то рухнувшая тарелка или тройное самоубийство из ревности, — всего-навсего дополнительная острая приправа к поднадоевшей ресторанной стряпне.

Мир вновь распался на равнодушные, несовершенные части. Хрипунов бросил на стол пару купюр, осторожно, двумя пальцами — как стрекозиные крылья — взял горячее запястье своей оставшейся без сладкого жертвы и молча повел ее из ресторана.

Крючок для глазных мышц с ограничителем. Для изоляции нервных стволов. Для оттягивания крыльев носа. Для радужной оболочки острый. Крючок для оттягивания глазных мышц

Год прошел со смерти младшей жены ибн Саббаха, и рикк на двери его дома высох, стал легким, как вдох, и по ночам тоненько жалобно выл от ветра и одиночества.

К тому времени власть ибн Саббаха стала едва выносимой для него самого. Империя ассасинов поглотила едва ли не всю Персию и теперь медленно переваривала добычу, отдуваясь, мучаясь изжогой и лениво раздумывая о новой, грядущей охоте. Хасан сам не знал, сколько у него крепостей, но каждая была практически идеально неприступной. Его обожали те, кто боялся, и боялись те, кто обожал. Подрастал скот, множились баснословные деньги, умирали сподвижники, гибли фидаины, и на их место приходили другие, такие же преданные и безмозглые.

А Хасан так и жил — совершенно один. И никто в Аламуте не знал, что Старец Горы ест и о чем думает. Мало-помалу крепость привыкала к ночному образу жизни: ибн Саббах окончательно усвоил повадки хищника, днем отлеживался в прохладной берлоге, выходил только в темноте и почти перестал разговаривать. Даже приказы отдавал исключительно взглядом, и тех, кто не умел поймать и верно истолковать этот взгляд, немедленно и жутко казнили.

И еще он все время бормотал, шелестел сухими старческими губами, прикрыв глаза и снуя пальцами по истертым четкам, и никто не осмеливался подойти поближе, чтобы понять, что шепчет Хасан ибн Саббах, какому Богу молится. Прошли месяцы и месяцы, пока шелест не распался на отдельные слоги, на тихие безостановочные слова: Адиля — справедливая, Афрах — счастливая, Ахлям — мечтательная, Ахд — верная, Айша — живая, Алия — возвышенная, Аамаль — надежная, Анвар — светящаяся, Арибах — проницательная, Аридж — благоухающая, Асия — помогающая слабым... Как будто истощенный ручей капал и капал на неподвижный камень, силясь пробиться на волю: Любаба, Ляма, Мадиха, Маиса, Маджида, Манар, Маймуна, Мунира... Мягкосердечная, прекрасная, достойная похвалы, горделивая, преславная, сияющая, благословенная, излучающая свет.

Никто не знал, что делать, а Хасан все перебирал нежнейшие женские имена, катал их старым горьким языком. Хулюк — вечность, Хадийя — подарок, Хана — счастье, Ханан — милосердие, Хайят — жизнь... И снова — Абир, Айша, Захрах, Рубаб, Тахира — едва ощутимый стонущий зов, почти детский, почти заклинающий. Хасан и не думал, что его услышат, пока как-то на рассвете не споткнулся на пороге собственного дома о двух съежившихся девчушек, невесть откуда взявшихся, прелестных, перепуганных настолько, что они даже плакать не могли и только все пытались спрятаться, подлезть друг под друга, будто слепые кутята, которых решили утопить.

Собственно, их и следовало утопить, а заодно с ними и того, кто додумался притащить маленьких босявок в Аламут, чтоб устроить выжившему из ума Старцу Горы роскошные разговины с обильным десертом. "Идиоты, — сварливо сказал Хасан ибн Саббах, — ну сколько можно, а? За что мне это все, не понимаю". Но голос промолчал — вежливо и равнодушно, словно скучающий гость, случайно попавший в эпицентр семейного скандала. Он вообще теперь все чаще отмалчивался, а иногда вообще надолго пропадал, и тогда в голове Хасана целыми днями звенел только тоненький заунывный речитативчик — не то песенка задушенного Рахмана, не то плач сброшенного со скалы младенца.

Девчушки всё тряслись у ибн Саббаха под ногами, совсем молоденькие дурехи — младшей вряд ли исполнилось девять лунных лет, столько же было Айше, когда она стала возлюбленной женой пророка Мухаммеда, да благословит Аллах его и род его. Хасан присел на корточки, и та, что повзрослее, тоненькая, сизовато-смуглая, с выпуклым, прекрасным ртом, немедленно спрятала голову маленькой у себя на груди — стремительным, удивительно взрослым движением. Как будто мать закрыла глаза перепуганному ребенку. От них обеих даже пахло как от кутят — молоком и какими-то засыпающими цветами. А от мальчишек вечно разило пылью и потом.

— Пророк попросил у Абу Бакра выдать за него замуж Айшу, — пробормотал ибн Саббах и мягко повернул младшую девочку к себе. Совсем крошка. Ко лбу прилипли взмокшие смешные кудряшки. Губы прыгают. Сейчас заревет на всю округу. Точно заревет. — А вот этого не надо, — серьезно и тихо предупредил Хасан ибн Саббах, распрямился и, крякнув, поднял малышку на руки. Та всхлипнула и обмякла, точно мертвый ягненок. Тяжеловата для его возраста, однако... — Чшш, — шепнул Хасан в маленькое прозрачное ухо и неумело покачал девочку туда-сюда. Ни одного ласкового слова не было у него ни в голове, ни на языке — ни одного. Только мучительная немота никому не пригодившейся нежности.

И тогда — надо же было хоть что-то говорить? — он вновь зашептал тихую сунну:

— Абу Бакр сказал, но я же твой брат. Пророк сказал, ты мой брат по религии Аллаха и Его Книге, но Айша по закону предназначена мне в жены.

Но, прежде чем он успел продолжить, неожиданно поднялась с порога старшая девочка и, глядя на Хасана ибн Саббаха огромными зеленоватыми глазищами, отчетливо произнесла: "Мой отец Абу Бакр обратился к Пророку — о, посланник Аллаха, что же тебя удерживает от женитьбы на ней? Он ответил: это мехр. Тогда Абу Бакр сам отдал вместо Пророка этот мехр в размере 500 дирхем. И в месяце шавваль Пророк женился на мне".

На мгновение стало очень тихо. Только где-то в горах присвистнула от удивления сонная птица. Да отчетливо надавил на темя мигреневый небесный луч. Словно напомнил Хасану о том, что он еще жив. Что они оба еще живы.

— Тебя как зовут? — спросил он у старшей девочки, которая так и осталась стоять, вытянувшись струной и стиснув на будущей груди маленькие руки.

— Маляк.

— Ангел, — тихо повторил Хасан. — А ее?

— Хесса.

Судьба.

Потолок в номере был бугристый. Ни к черту был потолок — невыведенный, скверно, но зато щедро побеленный, — стыдно должно быть приличному отелю за такой откровенно паршивый потолок. Не эксклюзивный. Хрипунов поискал глазами свет плывущих за окном автомобильных фар — он любил засыпать под этот качающийся, бегущий, странный свет, — но за окном были только сосны вперемешку с какой-то жестколистой, кожистой, растопыренной экзотикой.

Невозможно хотелось пить, но было нельзя — плечо, все истыканное огненными, беспокойными мурашками, придавила тяжелой сонной головой утомившаяся Анна, заснувшая на самом пике счастливой бессмысленной болтовни, ее будто прорвало — после месяцев и месяцев бесконечной, съежившейся тишины. "Господи, да я же сразу влюбилась, ну буквально с первого взгляда, я тогда еще была в таком уродском халате, байковом, я его сразу выкинула после того... Честно-честно. А метрдотель какой ужасно смешной — гнался за нами чуть не до самого номера с извинениями своими, нужны они нам — его извинения, правда? А на вас тогда, в первый раз, был потрясающий свитер, серый такой, с косами, английской вязки, ну, помните, то есть, конечно, помнишь — нет, я, наверно, никогда не привыкну называть вас на "ты", просто не смогу... А мороженое все-таки ужасно жалко..."

На мороженом она и заснула, ткнувшись лбом Хрипунову в ключицу и даже не заметив, что он не сказал в ответ ни слова, просто не смог, так и лежал, в классической посткоитальной позе взрослого самца *homo sapiens* — на спине, одна рука закинута за голову, другая придерживает прильнувшую женщину за влажное горячее плечо; полное равнодушие, тихая дрема остывающего механизма, под левым бедром натекло холодным и липким, надо бы отодвинуться... лень. Почему после секса человеческие женщины так похожи на обожравшихся змей? И что теперь с ней делать? Что. Что. Что.

Ножницы реберные. Ножницы реберные гильотинные.
Сосудистые вертикально-изогнутые. Твердосплавные для
разрезания мягких тканей

Через десять дней Хрипунов сидел в самолетном кресле рядом с Анной — горячий загорелый локоть вздрагивает во сне, сияющее запрокинутое лицо заботливо прикрыто черными наглазниками — так ты лучше выспишься, ребенок. На самом деле — чтобы никто не сломал себе ногу, не забился в истерике, не потерял сознание. Не застыл, разинув рот, в ликующем параличе. Уютная немолодая итальянка, продававшая на набережной ненормально крупную клубнику и раннюю глянцевую черешню, наверно, уже оправилась от сердечного приступа. Может быть, даже выписалась из больницы. Хотя вряд ли. Это было их самое первое утро в Италии. Первое утро вместе. Абсолютная концентрация Анниного счастья. Плюс его личная неопытность. Заказать завтрак в номер он еще сообразил, но от утренней прогулки по набережной не ждал никакого подвоха. Собственно, тогда он сам еще многого не понимал. Просто старался пореже смотреть Анне в лицо. А итальянке просто не повезло. Она получила в лоб улыбку такой сокрушительной убойной силы ("Ой, смотрите, Аркадий Владимирович, клубника, ну клубника же!"), что хватило бы и Гераклу.

Когда из ближайшего отеля, молотя десятком рук, прибежал оглушительный доктор и лениво ахающая толпа начала медленно рассасываться, Хрипунов перестал стискивать мизинец обмякшей итальянки (энергичное давление в течение двух-трех минут на правый нижний угол ногтевой пластинки мизинца левой руки при сердечных недомоганиях вполне способно заменить таблетку валидола — еще дяди-Сашина волшебная выучка). И тут же, в соседней лавчонке, купил испуганной Анне зеркально-черные, стрекозиной величины и выпуклости солнечные очки ("не снимай, не снимай, а то будут морщинки") и заодно видеокамеру. "Да какая разница, сеньора, давайте любую. Пойдем в отель, Анна, не огорчайся. Она непременно поправится. Обещаю".

Пластина для операций на веках. Пластина склеральная. Пластинка для оттеснения внутренностей

Они прожили в доме Хасана, может, год, а может, больше. Никто не знал. Потому что девочки никогда не выходили из дальней комнаты, а Хасан никогда не говорил о них вслух. Только нестареющий Исам, говорят, видел их однажды, когда привез — по приказу ибн Саббаха — неслыханный подарок из Европы, мягкую тряпичную куклу с фарфоровой, искусно размалеванной головой и живыми, человеческими, белокурыми волосами. Не каждая голубокровая христианская принцесса могла похвастать такой баснословной игрушкой. И один Исам знал, как и где сумел ее раздобыть.

А потом девочек вдруг отослали в долину и выдали замуж за степенного неразговорчивого купца, а взамен привезли откуда-то двух новых, таких же молоденьких, напуганных и прелестных. И так продолжалось много-много раз — иногда малышек меняли через год, иногда через неделю, но всех отдавали в жены порядочным зажиточным людям, и все приходили к мужу чистыми и непорочными, как снег на вершине Эльбруса. И все жили потом долго и счастливо, смиренно рожая крепких детишек и смиренно смывая по утрам юность и красоту.

И только одна из них накануне собственной свадьбы удавилась. Одна-единственная. Тихая светлоглазая девочка по имени Мухджа. Душа.

Щипцы для удаления плодного яйца прямые. Щипцы для фиксации тела и шейки матки. Щипцы Кагаловского для захватывания плевры. Щипцы клещевидные для орбито-томии. Щипцы кожноголовные акушерские (по Иванову). Щипцы крампонные. Щипцы ложкообразные для удале-ния опухоли мозга. Щипцы окончатые для захватывания опухоли мозга

К огда самолет, дрожащий, натужный, заключенный в почти видимый глазу кокон разноязыких перепуганных мо-литв, вцепился растопыренными лапа-ми в бетонку московской взлетной по-лосы, Хрипунов почувствовал на щеке легкую влаж-ную метку и открыл глаза. Заспанная Анна сидела рядом, с ногами забравшись на неудобное самолет-ное седалище, хрипуновский заботливый пиджак сполз со смуглых коленок, теплые волосы растрепаны, как маленький дым.

— Это я вас поцеловала.

— Не вас, а тебя.

Глаза — нет, не белые все-таки, едва ощутимо сероватые, первый шаг вниз, к туману, слизнувшему предрассветную горную долину, тихий утренний воздух, овечье звяканье, шепот переливаемого молока. Вокруг каждого зрачка — неуловимая мозаика, аккуратно сложенные осколки зеленого, рыжего, каре-голубого. Крошечный витраж — чтобы душе было не так скучно смотреть на этот негодный, не горний мир. В углу рта засохла сонная белая слюнка. Сейчас улыбнется. Я знаю.

Хрипунов ловко, привычно уже увел глаза в сторону, чтобы не тряхнуло, чтобы уйти из-под обстрела, хорошо, что все вокруг повскакивали с мест, хватая модные узлы и роняя мятые фантики. Нет, стюардессу, кажется, все-таки зацепило, качнуло, распялило изумленный намалеванный рот. Ощущение стенокардического кола за грудиной. Непереносимое счастье. И потом кратковременный, но полный паралич воли. Если в этот момент она скажет или попросит что-нибудь... Хрипунов вспомнил, как фруктовая итальянка с набережной, уже теряя сознание, заваливаясь на бок и хватая сухими губами хриплый солнечный воздух, все продолжала сыпать Анне под ноги свою невероятную, чуть ли не с кулак, бело-розовую, всю в мелких родинках, безвкусную клубнику...

— Иди сюда.

Хрипунов торопливо потянул ее к себе, мягкую, пахнущую жуткими сахарными духами, сонным потом и подкисшей бизнес-классовой едой, — занять чем-нибудь, заболтать, зажмуриться, поцеловать... Поздно. Анна, подставляя ему радостные, чуть спекшиеся от перелета губы, отчетливо пожаловалась — так пить хочется, ужас.

Не успел.

Зато можно обойтись без натужного, вымученного поцелуя. Без этой тактильной муки. Когда под губами и языком вместо нежного влажного огня только отвратительные слизистые и заплывающие швы. Хрипунов поправил переставшей улыбаться Анне вспотевшую выбившуюся прядку. Она действует, только когда счастлива. Она счастлива, потому что влюблена. Она влюблена в меня и при этом неприятна мне физически.

С этим ничего не поделаешь. Физически. Я так долго не вытяну. Просто не справлюсь.

— Все хорошо, ребенок. Сейчас попьешь.

А по проходу, расталкивая фирменными бедрами рвущихся на выход пассажиров, уже спешила бледная, растерянная стюардесса, сжимая в руках переплескивающийся через край подносик, сплошь уставленный стаканами с минералкой, соками и медленно умирающим шампанским.

Пинцеты. Анатомический. Хирургический. Зубчато-лап-
чатый (русский). Пинцет с замком. Пинцет для наложе-
ния и снятия металлических скобок. Пинцет для раз-
бортовки сосудов игольчатый, зубчатый и изогнутый.
Пинцет Миминошвили. Пинцет для коагуляции. Пинцет
для грудной хирургии. Пинцет сосудистый. Пинцет для
захватывания электродов

Кабинет Арсена Медоева был круглый, белый, зеркальный и золотой. Многоярус-
ная, воспаленная люстра свисала с леп-
ного потолка, как застарелый гидраде-
нит, в просторечии остроумно называе-
мый "сучье вымя". Сучье вымя, дрожа хрустальными
гирляндами, отражалось в гигантском полирован-
ном столе, в глобальных вазах, сияло на багетных
выпуклостях, жидким бликом ложилось на глянце-
витое, ухоженное темя хозяина всего этого великоле-

пия — уважаемого человека Арсена Медоева, да. Единоличного владельца если не лучшего, то, уж точно, самого крупного в Москве модельного агентства с идиотским, хлестким, но каждому известным названием — *WOW*.

Люди нервные и непривычные в кабинете Медоева мгновенно начинали чувствовать себя словно внутри елочной игрушки — прямо посреди тихого звона и сияющего хруста, дурацкой, аляповатой мишуры и рвотных спазмов от плохо переваренной халвы и несчитанных шоколадных конфет. Это было не то чтобы больно — просто как-то гадко. К тому же в кабинете совершенно невозможно было сосредоточиться — городской ум, привыкший к острым углам и ломаным линиям, начинал бесплодно метаться среди медоевских округлых и лекальных пространств, словно дворняга в поисках собственного ужаленного хвоста.

Некоторых — особенно совсем молоденьких дурочек — в кабинете и правда начинало мутить, они бледнели, терли липкий ледяной лоб обмякшей ладошкой, обреченно закатывали к бронзе и лепнине осоловевшие зрачки. Картинно взволнованный, Медоев тотчас сползал со своего бело-золотого кожаного трона и участливо наклонялся над сомлевшей жертвой, обдавая ее гипнотическим облаком сладчайшего парфюма — с отчетливыми, дымными, густыми нотами на илистом, клубящемся дне. "Ну что ты, что ты, малыш, успокойся... Да у меня же дочка тебе ровесница..."

На слове "дочка" баритон Медоева вздрагивал неподдельной болью, будто дочка — бледная, каревласая кукла, лежала тут же, пламенея ангиной и прощально улыбаясь слабым прекрасным ртом. После этого можно было подсовывать контракты, вырывать обещания, трогать сухими темными пальцами вздрагивающую, сочную, лопающуюся от спелости плоть. Все, все можно было в этом кабинете. Никто не уходил обиженным.

На Хрипунова кабинет действовал своеобразно — уже через пару минут у него начинали мучительно, туго ныть коренные зубы, потом мягкой болезненной ватой закладывало уши, и Хрипунов, до висков наполненный будущей многодневной мигренью, просто вставал, оборвав и себя, и Медоева на полуслове, и шел из офиса вон, мимо секретарей, щебечущих соискательниц, будущих моделек и нынешних шлюх — прочь, прочь из этого липкого рахат-лукумного мира. На свежий воздух.

Медоев как будто и не обижался — семенил рядом, подскакивая, маленький, жирный, ароматный, обаятельный урод, улыбчивый льстец с медоточивыми устами, до краев полными яда и голубоватых ледяных виниров. "Чего ты, Аркаша, дорогой, мы же не договорились еще — куда спешишь, брат?" — выпевал с анекдотичным акцентом, мягко хватал на бегу за локоть. Хрипунов морщился — и от акцента, и от шарахающихся во все стороны членистоногих моделек, и от бьющего по глазам золота — и только на улице, остановившись, переведя дух, раздраженно спрашивал: "Ну что за спектакль опять, Арсен? У меня инсульт когда-нибудь будет от твоей позолоты. И перестань, ради всего святого, паясничать.

Приезжай к восьми в "Яузу", там дорешаем. А сейчас извини — голова болит".

За Хрипуновым хлопала автомобильная дверца, и Медоев мигом переставал улыбаться и рассыпать вокруг гортанные "вахи" — он, признаться, кроме этих "вахов", ни слова не знал на родном языке, зато блестяще и без малейшего труда переходил с английского на французский, так что в Европе его принимали за богатого окультуренного араба, а никак не за сына природного осетина и хорошенькой хохлушки.

Впрочем, папа-осетин был горец не простой — и маленького Арсена принесли из 1-го Московского роддома не куда-нибудь, а прямо в огромную профессорскую квартиру, где сплошь клубились важные и нужные люди, мелкие прихлебатели, крупные мошенники, пронырливые аспиранты и какие-то незаметные персоны в квадратных пиджаках с печатью государственной значимости на туго натянутых лицах. Где-то в дальних комнатах обитали ласковые, молчаливые женщины в темных низких платках — осетинский профессор, гордость республики, орденоносец и лауреат, чтил обычаи предков, — в их бесшумные руки и передали новорожденного младенца, а профессор умчался на очередной симпозиум, с него — на заседание кафедры, а потом — на полигон.

А когда наконец вернулся, навстречу ему из глубин квартиры вышел молодой человек лет шестнадцати с печоринской усмешечкой на упитанном лице, угрюмый, капризный и — совершенно очевидно — жестокий. Молодой человек спокойно и тщательно стер со щеки умильное отцовское лобзанье ("Как ты вырос, мальчик мой! Стал совсем-совсем взрослый! Смотри, Мария, да у него же усы!") и сказал: "Папа, мне нужно в МГИМО". Как будто просил передать ему солонку за семейным обедом, когда воскресенье и в мамину честь подают украинский борщ, расплавленный, раскаленный, несусветный, но все равно сваренный не мамой и потому ненастоящий.

Теперь немножко о медоевской маме. Она действительно была самой что ни на есть хохлушкой, прибывшей в Москву из анекдотичной Жмеринки — той самой тихой, зеленой Жмеринки, где жасминовыми вечерами к поездам дальнего следования выносят газетные кульки с вареной молодой картошкой и малосольными огурчиками, а раннюю черешню продают нанизанной на аккуратные веточки — алые, словно покрытые драгоценным китайским лаком. Перспектива солить огурцы и продавать косточковые медоевскую маму прельщала мало, потому, на одном мощном выдохе закончив среднюю школу, она рванула в столицу нашей родины, имея максимум неясных перспектив, идеально сработанную задницу и полну пазуху великолепных, нежнейших, сливочных цыцек.

Гробиться в метро или на стройке за ради вожделенной прописки будущая мадам Медоева тоже решительно не желала, а желала она ездить в черной быстрой "Волге", получать приглашения в ГУМ на закрытые показы и — главное, главное! — саму себя безгранично и уверенно уважать. Для чего, по ее разумению, непременно требовался диплом и маленький, тяжеленький, сверкающий поплавок. Ну и, разумеется, муж. Официальный и узаконенный.

Высшее учебное заведение было выбрано из двух соображений — чтоб общежитие поприличней и чтоб поменьше конкурирующих юбок на факультете, но про такие пустяки, как вступительные экзамены, Лиля Гольченко (именно таково было мелодичное имя ямеринской д'Артаньянши) как-то не подумала. Вернее, не подумала о том, что, например, физика (первый устный) на самом деле окажется не совсем тем, о чем гундосила в школе тощая Степанида Семеновна в обвисшей трикотажной кофте, пока за окном зелено-золотой волной переливались заросли солнечного боярышника, в самой гуще которого, среди белых мохнатых соцветий, сонно спаривались толстые украинские голуби.

Вопросы в ослепительном, свежем билете (только самый краешек его немного посерел и взмок, стиснутый трепещущими Лилиными пальчиками) были сформулированы с иезуитской элегантностью, которая и предполагала солидное общежитие и полное отсутствие в институте хорошеньких провинциальных невест. Скользнув прелестными шоколадными глазами по лаконичным формулировкам (Вопрос 1. Поступательные и вращательные движения твердого тела. Вопрос 2. Интерференция волн. Принцип Гюйгенса. Дифракция волн. Вопрос 3. Теплоемкость одноатомного идеального газа при изохорном и изобарном процессах.), мама Медоева привычно глянула в окно, обнаружила там — вместо боярышника и голубей — беспросветно бетонную стену и впервые в жизни испытала приступ самого настоящего экзистенциального отчаяния.

Со всех сторон скрипели мозгами, бормотали и нервно похохатывали абитуриенты — все больше какие-то странные личности со свалявшимися прыщавыми подбородками и вяло подергивающимися конечностями. Сосед справа так и вовсе был вылитый мальчик из пещеры Тешик-Таш (плейстоценовый гоминид из школьного учебника биологии) с гениально скошенным лбом и чудовищными надбровными дугами. Просто прирожденный ядерный физик.

Медоевская мама с влажной тоской перевела очи на приемную комиссию, скульптурно, словно группа Лаокоон, расположившуюся за большим столом. Вершителей судеб было трое — мрачный толстяк, полуоплывшей глыбой нависший над тревожной, красной скатертью, нервный юноша неясных лет при очках, галстуке и отчетливом нервном тике (впоследствии выяснилось — обычный кафедральный аспирант) и... — карие очи жмеринчанки заинтересованно притормозили свой обреченный бег. Да, этот, в центре, в черном костюме, он, похоже, был самый главный.

Нетрудно догадаться, что этот, в центре, и был сам профессор Медоев, почтенный пятидесятилетний вдовец, седоватый, сухой и жесткий дядька, с головой поглощенный своим ядерным топливом. Физиономия его, тщательно выбритая и отливающая сизым, являла собой забавный эволюционный казус, ибо больше всего профессор походил на крупного индюка, вознамерившегося стать орлом, но по какой-то мелкой генетической причине недовоплотившегося. И тем не менее, несмотря на ядерное топливо и индюшиный зоб, Медоев был в миллион раз больше мужчина, чем боров справа от него или скрипучий хорек слева. Лиля просекла это мгновенно и мгновенно задышала с учащенной, отчаянной надеждой, так что ее пышущие флюиды достигли даже хорька, и он схватился со своего места и принялся совать абитуриентам дополнительные листы, чуть-чуть — как в полонезе — приседая на каждом шаге и интимно шепча: "Вот ваша задача, коллега, а это ваша... "

Задачу медоевская мама прочитала медленно, чуть приподняв сочную верхнюю губу, едва опушенную черной шелковой тенью, сулящей изнурительные поцелуи и жаркие постельные схватки: жонглер бросает вертикально вверх шарики с одинаковой скоростью через равные промежутки времени. При этом пятый шарик жонглер бросает в тот момент, когда первый шарик возвращается в точку бросания. Найти максимальное расстояние S между первым и вторым шариками, если начальная скорость шариков V = 5 м/с. Ускорение свободного падения принять равным g = 10 м/с^2. Сопротивлением воздуха пренебречь. Да. Пренебречь.

Это был явный и несомненный знак судьбы. Лиля Гольченко неторопливо поднялась, огладила ладонью тугую попу в форме идеального перевернутого сердечка и, пренебрегая сопротивлением воздуха, уверенно понесла себя к приемному столу.

— Присаживайтесь, — вежливо пригласил Медоев, привычно изобразив на лице педагогический интерес. — Готовы отвечать?

Толстяк справа от него приоткрыл один глаз и снова кисло прижмурился. Хорек все еще шелестел своими задачами где-то на задворках аудитории. И это тоже, разумеется, был знак судьбы.

— Готова, — выдохнула Лиля и, скинув под кумачовой скатертью белую (с квадратным каблуком) грубоватую босоножку, безошибочным движением положила голую, огненную, чуть запыленную ступню прямо на медоевские яйца.

Медоев догнал ее во дворе института — она неторопливо шла, по-киношному раскачивая на пальце сумочку из белого потрескавшегося кожзама, и мечтательно улыбалась, словно и не получила только что заслуженную пару и не распрощалась навек с вожделенным дипломом и сверкающим поплавком. В волосах ее — рыжеватых, пушистых, горячих — запутался горячий июльский тополиный пух, и Медоев с не индюшиным, а уже вполне орлиным клекотом принялся выбирать этот пух жадными сухими губами прямо в лифте собственного дома, медленно возносясь на визгливых металлических тросах к вершинам позабытого молодого блаженства.

Через три месяца Лиля положила перед ним три листа бумаги: справку о беременности и две жалобы — в партийную организацию и местком. А еще через полгода восемнадцатилетняя мадам Медоева, раздираясь и синея от дикого крика, умерла в 1-м Московском роддоме, исторгнув из израненного, черно-красного, похожего на густую рваную тряпку влагалища маленького Арсена Медоева, сына осетинского профессора и жмеринской хохлушки.

Кстати, у самого Арсена никакой дочки не было и в помине. Как, впрочем, и сына. Медоев даже женат не был ни разу в жизни. По его мнению, это было бы просто непрофессионально.

Свое МГИМО Медоев, разумеется, получил: папа мощно тряхнул орденами и связями, хотя честно не понимал, зачем сыну сомнительная дорожка третьего помощника четвертого атташе в каком-нибудь каннибальском государствишке, разом получившем от большого советского брата и колесо, и письменность, и недоразвитый социализм. "Физика — такая перспективная наука, сынок", — попытался проагитировать он, но сынок только взмахнул негодующе маленькой жирной лапкой. Он хотел власти. И ничего, кроме власти. Причем власти не над безмозглыми расщепленными атомами, а над живыми теплокровными людьми.

Бог отпустил Арсену Медоеву полной мерой всего — цепкого и мускулистого, как бультерьер, ума, бультерьерного же яростного напора, но харизмы добавил — будто сыпал сахар в чай худеющей барышне. Пожадничал, словом. Сильно пожадничал. Мужчины, большие, настоящие, не воспринимали Медоева всерьез — так, крутится под ногами уродец, угодливый, коротколапый, жирненький. Злобный, но не страшный. Смешной. Даже сокурсники, такие же точно сынки с редкими вкраплениями осатанелых провинциальных самородков, и те брезговали

Арсеном Медоевым. Не смеялись его шуткам, не советовались насчет того, как лучше избавиться от не вовремя намотанного на болт девичьего счастья. Даже пить не приглашали! Хотя Арсен мог выставить из папиных ядерных погребов и невиданный джин, и заморский *Smirnoff* — кристальной, ангельской очистки, и даже кьянти в прохладных плетеных бутылках. Все мог. И даже больше. Ради власти. Но мужчины чувствовали тайное жалкое уродство, позорный, жалко замаскированный недостаточек — словно не харизмы не было у Медоева, а яиц. И презирали. Пока Арсен не додумался ко второму курсу, не осенился гениальной идеей, которая отомстила, и озолотила, и вознесла.

Девочки — вот что это была за идея. Девочки, чудесные, славные, прелестные девочки с длинными горячими ногами в дешевых ленинградских колготках — не из МГИМО, разумеется, девочки, а из педа, из стали и сплавов, а еще бойкие инязовки, томные филологини, восхитительные физкультурницы, красавицы, спортсменки, комсомолки. Но — не москвички. Ах, вот они-то хотели от Арсена всего: и водки, и кьянти, и чудесных трусиков "неделька" из волшебной "Березки", и французских фантастических духов с кошачьим именем, на самом деле разлитых в братской социалистической Польше. И у каждой под дешевым хэбэшным лифчиком билось нежное преданное сердце русской женщины, укрытое круглой упругой мышцей, которую мечтали кусать, целовать, стискивать жадными пальцами... Правильно — все мужчины.

Притон разоблачили перед самыми госами. Скандал грянул во все гобои и валторны — бордель, организованный почти готовым дипломатическим работником Арсеном Медоевым из иногородних студенточек, потряс масштабом и грандиозностью замыслов даже утомленных гэбэшных оперативников. Весь пардемонокль заключался, во-первых, в том, что в бизнесе не обнаружилось никаких оборотных средств — девочки предоставлялись сугубо на бартерной основе: оргазм — услуга — оргазм. Во-вторых, медовыми прелестями медовых медоевских красоток лакомились на таких непоколебимых вершинах и высотах, что и речи не могло идти о том, чтобы упечь гаденыша по всей строгости с предварительной образцово-показательной поркой. Оркестр сбился с такта, дирижер нервно взмахнул взъерошенными фалдами, и поджавшим хвост ворчащим органам пришлось ограничиться громким вышибом из МГИМО основного фигуранта дела. Разумеется, с волчьим дипломатическим билетом, но зато с правом спокойно закончить высшее образование в любом нестоличном вузе — это уже вступила сольная партия Медоева-старшего, который заплатил за свободу сына перекошенным на левую сторону инсультом и собственной смертью.

Схоронив отца, невозмутимый Арсен уехал в Осетию к невидимой траурной родне и лениво отлеживался там несколько лет, чуя перемены и обзаводясь новыми тихими связями. А потом все предсказуемо затрещало, забалансировало и наконец шумно рухнуло, и, пока страна голосила на обломках, жалостно завывая и утирая сопли драным подолом, Арсен немедленно вернулся с исторической родины на родину малую — свежий, подвижный, пополнивший свой вокабуляр роскошным словом "ахсарфамбал". Истомившаяся без хозяев московская квартира обрадованно дыхнула ему в лицо тухловатым, кариозным запашком привычного, как вывих, пыльного одиночества. Потом-потом, отмахнулся Медоев от старых отцовских тапочек, доверчиво подползших к его ногам, и упруго засеменил к телефону, шурша в памяти невидимой для обысков и конкурентов записной книжкой. Чувство, которое он испытал, воткнув толстенький палец в тесное покорное отверстие полупрозрачного телефонного диска, было куда острее всего, что могли предложить ему все человеческие самки мира.

Ему, но не всем.

Телефон послушно содрогнулся, и Арсен Медоев услышал роскошные номенклатурные перекаты человека, занимавшего в его списке добрых сексуальных услуг почетное первое место, и не только, кстати, в списке, он вообще был Первым, этот человек, и все остальные, слопавшие сладкий медоевский крючок, были Первые, ну в крайнем случае Вторые, и ни с одним Арсен не поссорился, ни одного не продал, и теперь все, все они непременно за это заплатят.

— Рад, что вы меня помните, Ник-Ваныч, право слово, очень рад. — Медоев вслушивался в далекий рокот, лучезарно улыбаясь вспотевшей от усердия гладкой трубке. Еще бы он не помнил. Чего стоила одна только фирменная огненная восьмерка, которую старательно выписывали кошачьи язычки медо-евских красоток вокруг главного органа едва ли не агонизирующего клиента. Медоев самолично ната-скивал девочек в тактильных удовольствиях и ни-когда не обижал. Да, за попытку нажрать себе вместо аккуратной попки жирную духовку мог и поколо-тить. Но не больше. — Конечно, Ник-Ваныч, завтра в десять — это совершенно удобно. Всего хорошего. Следующий. Алло?

Через месяц на первом этаже славного особнячка засияла праздничная вывеска — модельное агентство *WOW*. Первое и единственное. Гениальный бордель был легализован. В белом плаще с кровавым подбоем из великолепной искусственной харизмы (от настоя-щей не отличить даже на ощупь) шаркающей кавале-рийской походкой перекормленного французского бульдога Медоев вышел из тени — навстречу своей вожделенной власти. Теперь уже точно — навсегда.

Игла для внутрикожных инъекций. Игла для подкожных инъекций. Игла для внутримышечных инъекций. Игла для внутривенных инъекций. Игла для пункций. Игла для подкожных вливаний. Игла "бабочка" (Strauss'a) для переливания крови. Игла с каплевидным утолщением на конце. Игла для спинномозговых пункций

— А рсен, у меня к тебе просьба. — На этот раз Хрипунов из медоевского кабинета никуда не рвался, хотя прошло куда больше трех минут, и зубы у него уже ныли на почти ощутимой низкой ноте. — Тут девушка одна есть. Надо бы посмотреть.

— Аркаша, дорогой, какие проблемы. Отлично выглядишь, кстати. Загорел, отдохнул. А что за девушка? Модель?

Хрипунов отрицательно мотнул головой, не поднимая глаз и старательно рассматривая свои туфли — светло-коричневые. Нет, не светло-коричневые — цвета старого односолодового виски, в который добавили одну, всего одну каплю горячего молока. Замечательные туфли. С дырочками.

— Любовница?

Медоевский голос аж завибрировал от любопытства — чертов старый сводник. Не удивлюсь, если при таком раскладе года через три он станет конченым импотентом. А может, уже и стал. А что вы хотите? Профессиональная болезнь всех сутенеров. Мания преследования и полная импотенция.

— Так ты наконец обзавелся постоянной подругой, дорогой?

— Арсен.

Голова у Хрипунова болела так, что трудно было говорить. Каждое слово сперва долго металось внутри, с сухим отчетливым стуком отскакивая от черепных костей. Как шарик для пинг-понга. Ничего, я это выдержу. Надо выдержать. Придется.

— Арсен, скажи — какая тебе разница? Это не моя любовница. Это ничья любовница. Это даже ничья дочь. Просто посмотри ее. Это займет десять минут.

Медоев кисло скривился: он не любил сюрпризов и невнятных дефиниций, чья-нибудь девочка — это одно, просто девочка — совсем другое, надо говорить другие слова, принимать другие решения. Но они с Хрипуновым столько лет сотрудничали. Столько лет. Столько девушек переделано по оптовым практически ценам. И ни одной просьбы с хрипуновской стороны. Ни одной, даже самой малюсенькой. Нельзя отказать. Никак нельзя.

В агентстве был, разумеется, зал для внутренних показов и репетиций — с самым настоящим "языком", не таким, конечно, как на *Der große Q* в Берлине, там длина подиума 1111 метров, так что у моделей аж икры скрипели от напряжения: тощие плечики, вытянутые шейки, лапищи сорок первого размера, вбитые в туфли тридцать девятого, только бы доковылять до кулис, чтобы там получить тычка от вертлявого распорядителя, злобного гомика с мрачным прошлым и роскошными комплексами в бритой татуированной голове. Поворрачивайся, чертова кукла! Ничтожные гонорары, собачий взгляд, обвисшие от мейкапа щечки, диетический кокаиновый морозец по утрам. Никаких перспектив. Это там. А в Москве их и людьми-то никто не считает. Тьфу, пакость, куски мяса. Говядина на вес.

Тем не менее двадцати подиумных метров вполне хватает, чтобы понять, выйдет из девушки толк или лучше сразу уговорить клиента, уболтать, напугать в конце концов — что вы, Александр Николаевич, как можно, такую девочку, кровиночку, ну и что, что мечтает стать моделью, я сам в ее годы хотел быть водителем-дальнобойщиком, что с того? Да что вы, я в этом бизнесе столько лет — клянусь вам, все сплошь наркоманки, особенно за границей, и никакого присмотра, она же единственная у вас? Ну тем более, давайте-ка лучше ее в Лондон отправим на годочек да в приличный колледж с хорошими традициями, у меня там давний партнер, могу поспособствовать...

Хуже, если нужные люди приводили подружку, иногда не удавалось сыграть даже на законной ревности, приходилось брать очевидный брак, возюкаться, оберегать, самому приплачивать, чтобы выбрали на кастинге, разместили фоточку в журнале с отрицательным тиражом и невнятной репутацией. Слава богу, подружкам быстро становилось скучно от диет и выворачивающих бедра репетиций, и, потешив самолюбие, они тихо смывались в свою удобную жизнь дорогой забавной куколки. Впрочем, за таких всегда платили с повышенной гормональной щедростью. А с самотечным девичьим мясом Арсен разбирался быстро, жестко и хорошо.

Медоев хрустнул креслом, придвинулся поближе к подиуму, к самому кончику языка: очень важно, как она разворачивается, хотя чего уж там, вряд ли она вообще умеет ходить, нет, это надо же притащить ему девку с улицы, столько лет ни одной просьбы, ни единственной; как ему теперь откажешь? Ну как, черт побери?!

— Ей музыка нужна?

Хрипунов все разглядывает свои драгоценные туфли, губы у него пепельно-голубые, как у инфарктника, неужто правда влюбился, это в сорок-то лет? Бывает. Медоев лучше всех знает, как это бывает.

— Ей не нужна музыка, Арсен. Ей ничего не нужно. Просто сядь и смотри.

Ходить она точно не умела. Топала, как по улице, — слава богу, хоть не загребала ногами, которые смело могли быть сантиметров на пять подлинней. А то и на десять. Медоев чуть прижмурился от кислых мыслей. Точно, самые худшие опасения — заурядная светлоглазая девчонка, растрепанная, для бизнеса явно старовата, лет девятнадцати-двадцати, к тому же невысокая и... Кроссовки, синие джинсы, просторная белая футболка с чьей-то неразличимой рожей. Медоев профессионально, как рентген, убрал лишние слои — сносная задница, весьма банальная грудь — для подиумной вешалки великовата, для бельевой модели явно мала, талия ни к черту, походка еще хуже. Ну что он в ней нашел, а? Сейчас потеряю своего лучшего партнера. Самого лучшего. Полный пинцет.

Девица добралась наконец до конца подиума, но, вместо того чтобы развернуться и сваливать к черту, не портить солидным людям и без того испорченный вечер, неожиданно присела на корточки, будто наклонилась почесать пузо игривому щенку, хулигански подмигнула и вдруг протянула к Медоеву руку, проще говоря, сунула ему под нос растопыренную ладонь, на которой лежали какие-то буро-белые сухие штуковины, похожие не то на просроченные конфеты, не то еще на какую-то очень знакомую хрень. Арсен не понял, не успел понять, потому что девица улыбнулась, и одновременно с этим потолок громко ударил Медоева по закружившейся голове, как будто оттуда, сверху, обрушилось несколько тонн светящегося, праздничного, нестерпимого кипятка.

Это было так радостно и одновременно жутко, что Медоев едва услышал сквозь варево боли, как девица приветливо сказала: "Угощайтесь, пожалуйста!" — и он немедленно сунул в рот сухие горькие драже и принялся грызть их, подбирая старательным толстым языком торопливые крошки и смеясь от счастья, а девица посидела еще секунду напротив (он едва видел ее в пульсирующем свете непривычной любви ко всему миру), а потом ловко соскочила с подиума и, выслушав негромкий приказ Хрипунова, ушла, совсем ушла, тихо закрыв за собой дверь. И света не стало. Ни света. Ни боли. Ни жизни. Ничего.

Только кошмарная, вращающаяся пустота.

— Аркаша... — слабым голосом спросил Медоев через несколько минут, пытаясь собрать мир в привычный фокус и чувствуя тоненькую, скулящую боль в сердце. — Что это было, Аркаша?

— Это было собачье дерьмо, Арсен. — Хрипунов неприятно изогнул рот и наконец оторвал глаза от собственных туфель (дырочек на каждой оказалось ровно по семьдесят пять — тонкая работа, тонкая кожа, теленок на бойне обмочился от страха и плакал, как человек). — Ты съел собачье дерьмо.

Щипцы Адерера. Щипцы акушерские изогнутые (по Сим-су—Брауну). Щипцы бюгельные. Щипцы гортанные для извлечения инородных тел. Гортанные ложкообразные биопсийные. Щипцы геморроидальные окончатые прямые. Щипцы для тампонады горла и глотки, большие и малые. Щипцы для захватывания и удержания трубчатых костей

Тот год, когда Хасан приказал больше не привозить к нему маленьких наложниц, стал последним — и все это поняли. Все. А Хасан так просто заранее знал. Сколько лет он ждал, когда придет наконец этот благословенный год. Тысяча сто двадцать четвертый по привычному нам календарю. Сотый со дня рождения Хасана ибн Саббаха. Вполне достаточно для живого человека, даже если он Старец Горы. И потому год этот прошел спокойно для всего обитаемого мира. Никто никого не убивал — во всяком случае, по приказу из Аламута.

Хасан по-прежнему бродил по ночам, словно заведенная до упора механическая игрушка, а днем одиноко лежал в доме, вытянувшись и сложив на груди набрякшие от усталости руки. Когда приближенные осторожно справлялись о здоровье Великого Дай, ибн Саббах вежливо, но сухо шелестел: "Аллах, Тот, Кто сотворил вас немощными, потом сделал вас сильными, а после этого старыми. Творит Он, как пожелает, ибо Всеведущий Он, Всемогущий". Крыть было нечем, и очередной посетитель, взволнованно пятясь, покидал смертное ложе Старца Горы, соображая, сколько шагов осталось Хасану до адских врат и что же будет дальше. С ним, с ними, со всей империей ассасинов, с ее десятками крепостей, городов, городишек и селений. Одних только фидаинов у Хасана ибн Саббаха было семьдесят с лишком тысяч! И каждый по его велению готов был перегрызть глотку хоть самому шайтану и потом со счастливой улыбкой сброситься со скалы. На кого оставит Хасан такое хозяйство?

— Идите спокойно, — бормотал ибн Саббах, — до тринадцатого века времени хватит всем. И времени, и власти, и денег. А потом придет Хулагу-хан, тихий псих, вечно обкуренный монголоид, генералиссимус оборванной неукротимой стаи, что страшнее любого войска, и сотрет вас с лица земли, заставит опять уйти в безмолвное подполье, откуда вы будете показывать миру то изогнутое жало, то колючие хелицеры — еще сотни лет, еще тысячи — до скончания человеческих времен. Не стыдитесь поражения, дети мои, ибо вы сами сдадите Хулагу крепость Меймундиз и сам падет мой излюбленный Аламут, потому что обезумевшие монголы будут волна за волной бросаться на приступ, пока гора трупов не поднимется вровень с аламутскими стенами, и только тогда по телам убитых в мой дом войдут победители, так стоит ли этого стыдиться? Целый год будет сопротивляться крепость Ламасар, о которой в мире плетут столько несусветной ереси, и ни одна цитадель не умрет без боя, а Гирд-кух продержат в осаде целых двадцать лет. Странно, а я всегда считал это место скучноватым, надо бы заранее сказать тамошнему коменданту спасибо. Что ты жмешься в дверях, Бузург? Подойди. Ты вырастишь славного сына, который принесет тебе славного внука и бесстрашного правнука. Он умрет как герой. Благодарю тебя за это, старина, и не плачь, что за глупости, я же не жена тебе, стоит ли проливать слезы из-за такой старой развалины, как Хасан ибн Саббах? А ты, Исам, куда ты пропал, зачем бросил меня одного в год моей смерти, будто кошка, покидающая дом, чтобы на пороге разминуться с неминуемым горем? Обещал служить мне, как Богу, а сам знал о Боге куда больше меня, мог бы и поделиться этим с хозяином, косоглазый пройдоха, хотя бы за то, что за последние шестьдесят лет ты был единственным, кого я ни разу не тронул ни посохом, ни пальцем...

Мир распадался на призрачные зернистые пиксели, посетители плавились от адской жары двадцать третьего дня раскаленного мая, призрачным маревом дрожали перед глазами.

— Холодно. Как здесь холодно! — Хасан попытался перевернуться на бок, подтянуть колени к животу, поплотнее закутаться в старый халат. — Сколько я сносил вас за свою жизнь? Легко посчитать на пальцах одной руки. Я не гонялся за деньгами, вы все это видели, я хотел только одного — покоя. Разве я его не заслужил? — Ибн Саббах приоткрыл слабые, размякшие веки — теперь его дом заливало кровью. Густая, яркая, она сочилась сквозь серые стены, вихрила воронки у человеческих щиколоток, с тихим чавканьем лизала лежак у самого изголовья. Хасан благодарно погрузил в нее слабеющие пальцы. — Теплая! спасибо... как хорошо!

В комнатенке все прибывало и прибывало народу, и Хасан натыкался мутным, заплывающим взглядом то на мокрые ресницы первой жены, то на вытянувшего шею старшего сына, а вон вторая жена. "Ну что ты воешь, глупая баба, лучше бы ты привела мне маленького Хасана, моего бедного зарезанного малыша..." Истово бубнил что-то голос — почти кричал, впервые не внутри, а откуда-то слева и сверху, и впервые Хасан его не слушал, потому что призраки, шелестя, расступились, разошлись, отталкивая друг друга вспотевшими плечами, и Хасан ибн Саббах увидел, как к нему идет живая человеческая женщина с тихим светящимся лицом и удивительными глазами, его любимая девочка, единственная дочка, прожившая от роду всего семнадцать минут. А потом он сам приказал сбросить ее в пропасть. Но она пришла. Все-таки пришла. Значит — простила.

Хасан ибн Саббах с радостным стоном перевернулся на спину, застыл, вытянувшись во весь рост, примеряясь к будущей могиле, а женщина подошла совсем близко, почти вплотную, так что Хасан даже сквозь смерть почувствовал, как чудесно пахнет от нее грудным молоком, настоянным на цветах, и отдыхающим хлебом.

— Ля тахким илла иллах, отец, — прошептала она ласково и улыбнулась так, что Хасана ибн Саббаха в последний раз в его жизни насквозь пробило черным злобным лучом, а потом черный свет рассеялся, а вместе с ним наконец навсегда умолк и голос, так что последнюю секунду своей долгой жизни Хасан прожил совершенно счастливым — без боли и в великой тишине. Но только одну секунду.

Потому что дочь, все еще улыбаясь, наклонилась прямо к его леденеющему лицу и медленно проговорила: "Кийама". Глаза Хасана выкатились от ужаса, он захрипел, пытаясь вдохнуть побольше смертного земного воздуха, и обмяк на своем каменном лежаке, так и не увидев, как медленно наливаются концентрированной чернотой золотые глаза его дочери и как прямо сквозь ее опечаленное лицо начинает отчетливо проступать другое — тоже женское. Тоже молодое. Но полное такого грозного чудовищного смысла, что далеко-далеко от Аламута Исам непроизвольно передернул зябкими плечами, встопорщив белесые прозрачные крылья, и тихо повторил: "Кийама".

Воскресение.

Иглодержатели — Гегара, Троянова, Матье. Тупая лига-
турная игла Дешана. Острая лигатурная игла Купера.
Лигатурная вилка

Сначала он просто плакал, отвратительно, уродливо, надсадно, как плачут только очень взрослые мужчины, давно забывшие, как это ужасно, когда находишь в кустах дохлого котенка с аккуратно выколотыми глазами. Хрипунову понадобился почти литр коньяка — хотя лучше бы, конечно, водки, чтобы укротить этот непристойный, невыносимый вой. Экая странная реакция, ну ты же не маленький, Арсен, честное слово, ну что ты так расстроился, выпей еще, нет, я тоже не знаю, как это получилось. Правда не знаю. И перестань ты, ради бога, скулить. Мне поговорить с тобой надо. Слышишь? По-го-ворить.

1. В состоянии эмоционального покоя лицо объекта производит на окружающих нейтральное впечатление. Так же нейтрально воздействуют на внешнюю среду слезы (плач, огорчение, гнев, смех и т.д. по всему эмоциональному спектру) объекта.

2. Триггерным механизмом для воздействия является улыбка, вызванная максимальным внутренним подъемом объекта (Счастье? — зачеркнуто. Сильное желание? — зачеркнуто. Любовь?).

3. Пик воздействия приходится на момент угасания улыбки (проверить соответствующие группы мышц, зафиксировать схему). На видео- и фотоизображениях сила воздействия объекта уменьшается на 30–50%, но все равно остается достаточной для того, чтобы...

4. Реакция на воздействие (опытная группа порядка 25 человек, наблюдению доступны только внешние состояния): от крайнего ужаса до эйфории. Абсолютно все наблюдаемые демонстрируют нечто вроде кратковременного паралича воли.

5. Паралич воли.

6. Она ничего не знает.

7. Она ничего не должна знать.

Очень скоро стало ясно: жить с ней — все равно что с камышовой кошкой, мускулистой, мускусной, опасной. Чуть крупнее обычной, ласково вьется у ног. Но в глаза не смотреть. С рук не кормить. По голове не гладить. Тварь, тихая и хищная. Привычную жизнь пришлось вывернуть наизнанку, перекроить — операции в клинике сократились до минимума, прием вел кто попало, барыни роптали, но Анна больше категорически не желала сидеть дома одна: "Можно я с тобой, ну пожалуйста, пожалуйста". Сияющий взгляд снизу, зажмуриться, прижать поплотнее к груди, чтобы не видеть. Чтобы не выпускать. Даже экономка получила бессрочный оплаченный отпуск, и привычная к ежедневному лоску квартира подернулась тончайшей, туманной пылью и стала еще более гулкой и нежилой.

Между тем Анна хотела в гости. Извини, давай лучше завтра. Анна хотела в театр. В кино. В ресторан. Хорошо, ребенок, непременно, но только не сегодня, я, честно говоря, немного устал. Анна хотела новое платье с наглой спиной и длинные серьги с коньячными бриллиантами. Разумеется. Платье красное? Ты же доверяешь моему вкусу? Я привезу.

Ее как будто передержали взаперти в темном подвале, а потом пинком выпустили в ликующее июльское утро. Еще она хотела замуж. И ребенка. Мальчика. И мальчика. "Чтоб был похож на тебя. Ты меня любишь?"

Правильный ответ гуманнее всего заменяется поцелуем. И еще одним. И еще. "Иди ко мне, милый... "

Как будто медленно погружаешься в скользкую болотную воду, гнилую, тягучую, черную, ныряешь, пытаясь зажать нос и одновременно нашарить на дне невидимый браслет соскользнувших часов, но под пальцами только мягкая струящаяся гниль и тихое полуживое шевеление.

Нет.

Это как мамин белый тазик с пирожными. Царство давленых углеводов, податливое тесто, размазывающийся по языку скользкий приторный крем, бесконечные, длинные, рвотные содрогания.

Ты меня любишь?

Еще один поцелуй.

Вечерами звонил Медоев, сюсюкая, лопотал:

— Анечка, это дядя Арсен, помнишь такого? Как здоровье, детка? Как наш с тобой мальчик? Да-да, позови его, пожалуйста, будь любезна.

— Аркааадий! — кричала она заливисто, радуясь лишней возможности назвать по имени, окликнуть, дотронуться, хапнуть, завладеть.

Хрипунов, не поднимая глаз, выходил из кабинета, брал протянутую трубку, благодарно чмокал воздух над Анниной макушкой — теплый, отвратительный, дрожжевой дух.

— Беги на кухню, я сейчас приду. Нет, лучше чай.

Арсен переводил дух, спрашивал тряпочным от инфернального ужаса голосом:

— Ну как?

— Нормально.

— Слушай, я вот что думаю — может, реклама? Промоакции, распродажи, щиты. Будут сносить ради нее любое дерьмо... За любые бабки!

— Собачье в том числе.

Арсен осекался, и крутой бизнесмен внутри него опадал, съеживался, как выдохшийся воздушный шарик.

— Послушай, я же говорил, что не собираюсь рекламировать пылесосы. И вообще, не дома, не по телефону — неужели непонятно?

— Да нет, я так позвонил, вообще...

— Что — вообще?

— Ну, узнать — как ты? Жив? — Медоев даже голосом переставал играть, как и все практичные люди, он до смерти боялся смерти. До смерти. И не только своей. Любой.

— От счастья не умирают, Медоев. Спи спокойно. Не шуми, ребенок, я уже иду.

Сколько он еще продержит ее взаперти? На голом вымученном сексе. Сколько сможет пробыть генератором чужого бесперебойного счастья?

Днем Медоев забывал о шерстяных вечерних страхах, ночью все демоны выше табуретки, и только солнце придает миру стабильную солидность. Потому что высвечивает успокоительный антураж. Они с Хрипуновым встречались едва ли не каждый день, как заговорщики, как мальчишки, задумавшие учудить грандиозную пакость, — каждый раз в новом месте, в новом районе, в новом тихом ресторанчике, из тех, что закрываются через полгода, оставляя на память о себе только запах пережаренного жира и маленькую ласковую изжогу, уютно свернувшуюся чуть повыше желудка.

Медоев усаживался за стол, мельтеша закуривал, заглядывал в лицо:

— Аркадий, не дури — это золотое дно, мы же любую отрасль монополизируем, слушай, надо браться за продукты питания, нет, лучше алкоголь, сделать бизнес полного цикла, чтобы от производства до рекламы — в полную собственность, под полный контроль, ну и ей дадим немножко, конечно, для поднятия настроения, она ж от настроения работает? Так?

Хрипунов все больше жалел, что сказал ему — не все, конечно, только в общих чертах, все он и сам не понимал, так, летел, кувыркаясь, с обрыва, беззвучно вопя и выдирая целые пряди желтушной неживой травы.

— Какие продукты, Арсен, какая водка? Ты что, не понимаешь, она...

— Слушай, а что... Она и убить может? Тогда в оборонку.

— Идиот. Посчитайте, пожалуйста. Спасибо.

Они расходились, недовольные друг другом, кривя горькие прокуренные рты, чтобы завтра встретиться снова, сдвинуть лбы над чашками бурого общепитовского кофе, два соучастника: один, ничего не понимающий, другой, не понимающий ничего. Хлопали в унисон две автомобильные дверцы двух мощных машин. Хрипунов, прищурившись, всматривался в будущее, но видел почему-то круглый толстый столб сладкоголосого света, и каменную кладку, и крошечных коленопреклоненных людей, и Анну, одной улыбкой гармонизирующую пространство. "Мир, она должна принести всем покой и мир", — бормотал он, не пуская в свой ряд нахальную "девятку", отражение Бога, идите и любите друг друга, Санта Анна. "Власть, — вслух говорил Медоев, и во рту опять становилось сухо и горько, как от собачьих черно-белых какашек. — Я даже не думал, что так бывает. Вот она — абсолютная власть".

Вечером Арсен звонил опять.

— Ну как ты там... Жив?

От счастья не умирают.

С ним просто не живут.

Хрипунов по-прежнему держал ее почти взаперти, но постельные чары, и без того вымороченные, бледные, как проросшие в подвале прошлогодние картофельные ростки, неумолимо рассеивались. Каждый раз, разомкнув потные отвратительные объятия, Хрипунов говорил: "Иди к себе, Анна, милая, спокойной ночи". Но в одну прекрасную ночь она в ответ вдруг сокрушительно хлопнула дверью и долго рыдала у себя в комнате незнакомым низким голосом, а потом вдруг замолчала, и Хрипунову, молча слушавшему этот отрывистый женский лай, на секунду показалось, что она сейчас вернется, да вот же она, стоит у закрытой двери в спальню, голая, твердая, с ледяным, неподвижным, улыбающимся лицом... Ужас широким черным шарфом стянул горло, тихий, инфернальный, детский. Будто наступил на свою собственную могилу. Будто душа почуяла на голых беспомощных пятках льдистый, потусторонний, неизвестно кем и откуда пропущенный сквознячок.

Нет, показалось.

Хрипунов вытер лоб, прошел темными комнатами и коридорами в ванную и держал голову под хриплой струей, пока от холода не заломило не только зубы, но и сердце.

Утром она вышла на кухню, бледная, как череп, с зачесанными до черепной же гладкости несвежими волосами, лицо как будто наспех натянуто на чужой, незнакомый, страшноватый костяк. Демонстративно налила себе запрещенный кофе, демонстративно вытянула из хрипуновской пачки запрещенную сигарету. Хрипунов хотел было встать, чтобы устроить жесткую и показательную порку, но вспомнил, что Анна вчера ни разу не улыбнулась. И позавчера, кажется, тоже. И еще. Ни вчера, ни позавчера не звонил Арсен.

— Почему мы не можем пойти в театр? Со мной что-то не так?

Смотрит белыми огромными глазами, полумертвыми, как у дневной совы.

Сердце ухнуло, оборвавшись, мягко стукнулось о невидимый пол. Догадалась? Сама догадалась или? Осторожно. Очень осторожно. Как будто берешь за хрупкую талию прелестного скорпиона с приветливо изогнутым шоколадным жалом.

— С чего ты взяла, что с тобой что-то не так?

— А почему мы нигде не бываем? Почему ты никуда со мной не ходишь? — С каждой фразой набирает неистовые обороты, рот дергается, в вырезе халата видна сизоватая, ребристая, цыплячья грудная клетка. — Ты что, меня стесняешься?!

От внезапно отхлынувшего напряжения Хрипунов даже закрыл глаза, обычная бабская истерика, господи, всего-навсего, а руки дрожат, будто только что рывком поднял на грудь неудобный центнерный мешок.

— Глупости какие, мне просто хорошо, когда мы с тобой вместе, только вдвоем. Ну давай пойдем в театр, если тебе так хочется. Прямо сегодня, ладно? Я только съезжу в клинику ненадолго, у меня операция, а на обратном пути куплю билеты. Ты куда хочешь? В Ленком? Или в Большой?

Смотрит недоверчиво, как наказанный нарыдавшийся ребенок, которому разрешили наконец-то выйти из угла — то ли простили, то ли опять будут орать высоко над головой, рокоча и чернея раздувшимися ноздрями. Еще неизвестно.

— Обманываешь?

Хрипунов не выдерживает, смеется, чуть громче чем положено, но смеется, в первый раз за все это невозможное время вдруг почувствовав к ней какое-то почти теплое, почти человеческое чувство: да она и правда совсем еще ребенок, бестолковый, одинокий, неуверенный, наугад бредущий по чужой осыпающейся тропе.

— Не обманываю.

Она даже взвизгивает от счастья, вся вспыхнув изнутри, как взбесившаяся лампочка, как догорающий магний, ну же — закрыть глаза, открыть объятия, прижать к себе.

Босой топоток, шелковое шелестение, теплая влажная тяжесть, острые коленки молотят воздух. Дышит в щеку радостно, коротко, как щенок. Утренний ангел с нечищеными зубами.

— Ты меня любишь? Поцелуй.

— Нет, скажи — любишь?

И Хрипунов, зажмурившись, хрипло отвечает:

— Да.

Цапки (бельевые клипсы Мейо). Зажим для прикрепления операционного белья (Микулича). Зажим пластинчатый. Корнцанг

Жирный одышливый араб, деревенский лекарь, единственное живое существо, осмелившееся провести с Хасаном ибн Саббахом его последние часы, долго-долго ждал — сидя на полу среди мокрых окровавленных тряпок и опрокинутых кувшинов с кипятком, — когда Хасан сделает последний выдох, освободив намученную душу от затянувшегося земного плена. Но так и не дождался. И когда глазные яблоки покойника стали мягкими, как свежий сыр, а позвоночник, напротив, стал тверже смертного ложа, лекарь вышел наконец на улицу и, обведя глазами неподвижных фидаинов, сказал: "Обольщены люди земными страстями: любовью к женщинам, детям, золоту и серебру накопленному, коням меченым, скоту и вспаханной ниве, но все это — лишь сладостная тщета ближней жизни, тогда как лучшее прибежище у Аллаха благословенного".

Люди недоверчиво молчали. И тогда лекарь запрокинул лицо к раскаленному вечереющему небу и, надрывая раззявленный рот, изо всех сил закричал:

— Хасан ибн Саббах умер-р-р-р!

И словно ему в ответ, где-то в горах освобожденно грохотнуло, прохохотало что-то неразборчивое и снова стихло. И только тогда, словно убедившись, что все действительно кончено, деревенский лекарь, полуобразованный дурачок, привыкший пользовать безоаровым камнем золотушных младенцев да истеричных старух, выхватил из-за пояса кинжал, чуть изъеденный по лезвию, весь в еще живых пятнах отворенной крови Хасана ибн Саббаха, и, тоненько, по-заячьи, вскрикнув, воткнул его прямо в свою толстую трепещущую глотку.

Выкусыватель гортанный детский прямой. Выкусыватель гортанный со сменными направляющими трубками и наконечниками (Кардеса). Выкусыватель для склеры пружинный. Выкусыватель для удаления опухолей

Пациентка умерла прямо на столе. Абдоминопластика, распахнутая брюшная полость, пласты желто-красного жира, полный контроль. Туша. "Доктор, уберите этот невозможный живот". Хрипунов впервые в жизни торопился, бригада встревоженно переглядывалась, следила за ним безмолвными безликими головами. Большой брюшистый скальпель, сорвавшись, с тихим чмоком падает в операционную рану. Яростно вскинутые глаза. "Извините. Это я сам". Голос сквозь маску звучит, как из преисподней. Хирурги впервые слышат его голос в операционной. Голос Бога. Тихий и дрожит. Отвезти в театр, вытащить на сцену, узнать сразу все. Сразу все раскрыть. Второе пришествие. Давка, вопли, паника, судные трубы, настигающие пьяниц в театральных буфетах. Будьте милосердными. Несите добро. Она должна понять. Должна распорядиться правильно. Я сам ей все объясню.

Анестезиолог что-то испуганно говорит. Потом еще раз. Хрипунов недовольно мотает головой, отстаньте, в конце концов, скользкий лоб, скользкие перчатки, скользкая располосованная плоть. Он протягивает руку за инструментом. Секунда. Еще одна. Рука остается пустой. Хрипунов негодующе щелкает пальцами. Они слышат его голос во второй раз. Зажим Пеана, говорит Хрипунов, поднимая глаза, все стоят как завороженные, будто играют, как в детстве, в "Море волнуется раз". "Умерла", — в третий раз повторяет бледный анестезиолог и зачем-то садится прямо на пол. Хрипунов сам берет нужный зажим и еще сорок пять минут молча проводит абдоминопластику мертвой пациентке. Один. Не беспокойтесь, будет красивый, плоский, подтянутый живот. Врачи, как глухонемые, следят за его сноровистыми бездушными руками.

Наложив последний шов, Хрипунов снимает маску, привычно кланяется и выходит из оперблока.

"Алло, Анна, ты меня слышишь? Театр на сегодня отменяется, у меня..." Швырнула трубку.

Еще раз? Занято. Ладно, потом. Звонок в морг, пришлите, пожалуйста, машину. Нет, можно позже. Да, к сожалению. Нет, я подожду заключения патанатома. Спасибо. Тело оставить в операционной на два часа — до появления трупных пятен на отлогих частях тела.

— Констатация смерти. Распишитесь, Илларион Гаврилович. И вы, коллега. Благодарю. И сообщите, пожалуйста, родным.

Хрипунов вернулся домой только часам к девяти вечера, заранее вынув из кармана завтрашние билеты в театр, Большой, "Лебединое", бессмертная классика, кукольные балеринки в жилистом затяжном прыжке, скачок, ножка в пуанте с тяжелым стуком встречается со сценой, вздымая облачко трудовой театральной пыли. Браво!

— Анна, извини меня, пожалуйста.

Тихо. Пусто. Темно.

Дверь в ее комнату была приоткрыта, но Хрипунов все равно быстро выбил на косяке трескучий коротенький марш — маленькая вежливость, ненужная привычка, сколько он вдалбливал ей: "Анна, давай научимся уважать друг друга, не надо вламываться ко мне без спроса, как будто в доме пожар, я же всегда стучу, это неважно, что мы вместе спим, какая, в сущности, разница — надо стучать. Понимаешь, надо!"

— Анна! — Хрипунов негромко окликнул душистую темноту — душную даже; с провинциальной манерой опрокидывать на себя по полфлакона парфюма разом справиться так и не удалось, и это притом, что ей нравились странные духи — тяжелые, хрипловатые, пыль, тлен, ночь, кладбище убитых цветов. Молоденькая девушка не должна вонять старой дохлой львицей.

Тишина.

— Анна!

Всегда можно определить, есть ли в темной комнате темная кошка, даже если эта кошка скорчилась в углу, зажмурилась, спрятала лицо в гнедые блестящие пряди, сколько пришлось их отращивать, холить, доводить до дорогого шелкового блеска — тусклые посеченные волосы авитаминозной девчонки из городского предместья. "Можно я перекрашусь в блондинку?" — "Нет". — "Почему?" — "Просто нет".

— Анна! Ты плачешь?

Молчит. Слышно, как старается не дышать, видно, как замерла в своем углу — маленькая сжавшаяся темнота на бескрайней темноте низкого дивана. Странная у нее комната, бывшая гостевая, в которой никогда в жизни не останавливался ни один гость; сначала она попыталась как-то очеловечить модную берлогу, долго катала по углам неудобные дизайнерские кресла, драпировала шторы, пристраивала на подоконнике привезенный из общаги безымянный лопоухий цветок — ему вредно прямое солнце, понимаешь? А поливать надо через день. Цветок давно и тихо умер, бесшумная экономка спустила его останки в мусоропровод, а комната, незаметно выплюнув так и не прижившуюся душу, так и осталась ничьей. Гостевой.

— Анна!

Выключатель щелкнул бесшумно, зато свет хлестанул по глазам чуть ли не со звоном, Хрипунов даже руку вскинул, прикрывая опаленные веки, и чуть не упал, споткнувшись о какую-то мягкую кучу под ногами. Или упал, потому что мир, не тускнея, мягко перевернулся и полуослепший Хрипунов в первый раз не во сне услышал гнусавый, с подлыми пластиночными завываниями голос и — надо же, а вот это уже во второй раз — понял, что именно голос произносит — тыы чтоуу сдеуауа суо суэтуом? И тут же из плотно натянутого жара выплыла Анна, наклонилась, сузила огромные глаза, совершенно черные (черные?!), непроницаемые, без малейшего проблеска белков, как будто смотрела гигантская ящерица. Или змея. Или не Анна, потому что...

Потому что у нее было *другое* лицо. Точно такое же, но другое, словно едва сдвинутое по идеально просчитанным швам, с неаккуратно наклеенной странной улыбкой, и это было так чудовищно, так страшно, что отчетливо щелкнули, спасая сознание, маленькие тихие предохранители, и Хрипунов, проваливаясь в обморок, услышал, как голос еще раз провыл — тыы чтоуу сдеуауа суо суэтуом? — и на самой границе жизни понял, что это воет он сам.

Он пришел в себя минут через сорок и, не открывая глаз, ощутил, что один и в комнате, и в квартире, только уютно журчало лампочкой крошечное бра над диваном — банальная безобидная сороковаттка, способная ослепить и сбить с толку разве что пушистую ночную бабочку. Хрипунов, кряхтя, поднялся с пола. Лицо тянуло и саднило, словно он попытался заживо сунуть голову в духовку, под слезящимися веками прыгали и пульсировали ало-белые кляксы.

Как ты это сделала? Как?

На всякий случай Хрипунов обошел квартиру, огромную, бездарную, дорогую, окликая смущенные, насторожившиеся комнаты, щелкая клавишами, дергая за шнурки, нажимая на кнопки и сам удивляясь тому, как в самых неожиданных местах вспыхивают пятна, разливаются световые лужи, скрещиваются круглые лучи, выхватывая из полумрака то модерновую фотографию, то бездонное зеркало, то бесполезный столик с мучительно изогнутой безделушкой. Темные углы от этого становились еще туманнее и темнее, раздвигая стены прямо в ночное московское жерло. Правильно организованное световое пространство — так, кажется, объясняла барышня-дизайнер, лисьей ухваточкой подкладывая Хрипунову грабительские счета. А какая дрянь получилась на выходе — ни света, ни пространства. Никого.

Хрипунов вернулся в комнату Анны. Включил свет и здесь, машинально зажмурившись, — глаза еще помнили дикую болезненную вспышку. Нет, все нормально. Ничего инфернального, не считая невероятного беспорядка — в комнате как будто прогулялся маленький бесноватый самум. Мягкая куча, о которую он споткнулся, оказалась... Хрипунов наклонился изумленно, взъерошил ладонью ласковый сверкающий мех. Точно — шубы. Целый ворох шуб. Черные, серебристые, платиновые, голубоватые, рыжие с нежным подпалом, ненормально-лиловые и кислотно-изумрудные — все в сияющих баснословных искрах, безвольно раскинувшие расклешенные полы, заломившие легкие просторные рукава, вывернувшие наружу соблазнительную шелковую, тревожную подкладку. Норка. Снова норка. Это, кажется, соболь. А вот эта невзрачная жемчужно-серенькая штучка точно из шиншиллы. Хрипунов потянул за витой шнурок глянцевую картонку с ценником. Сто пятьдесят тысяч у.е. Эта? Сорок девять тысяч. Эта?

Он расшвыривал шубы ногами, как будто брел с дядей Сашей по сентябрьскому больничному парку, загребая ботинками шуршащие, невесомые, пахучие листья и щурясь на подслеповатое простуженное солнце. Довольно на сегодня смерти, Аркадий, пойдемте-ка лучше листья пинать. Все точно так же. Как будто жизнь пропустила нужную развязку и так и не сумела соскочить с бессмысленного окружного кольца.

Под шубными залежами захрустели пакеты с громкими аляповатыми логотипами — полураздавленные, полурастоптанные, полуперхнувшиеся какими-то лоскутами, тряпками, этикетками и кружевами. Хрипунов поддел носком пакет поменьше, и оттуда с тихим уютным шорохом поползли бирюзовые коробочки, увитые знаменитыми на весь мир белыми ленточками. Ужин у *Tiffany*. Паралич воли. Даная и бриллиантовый дождь.

Вот, значит, как ты этим распорядилась.

Санта Анна.

А я был уверен, что приведу тебя к сирым и прокаженным...

Долото плоское с двухсторонней заточкой. Долото с квадратной ручкой желобоватое изогнутое. Долото с рифленой ручкой плоское, левое и правое. Долото с шестигранной ручкой

Где-то заухал телефон, ему писклявыми птичьими голосами откликнулись трубки, предусмотрительно расшвырянные по всей квартире, и все равно, когда надо, ни одну не найдешь — да и стоит ли торопиться, если после третьего гудка все равно заработает автоответчик. В десяти случаях из восьми звонят пациентки. "Ах, Аркадий Владимирович, я вам так благодарна, вы себе не представляете..." Нет, не представляю. Автоответчик, щелкнув, сказал голосом Хрипунова: пожалуйста, оставьте свое сообщение после сигнала... И тут же истошно закричал Медоев, ужасно, как будто его свежевали заживо: "Аркадий, Аркадиииий!" — Хрипунов, чуть не свернув себе шею, бросился к телефону, но не успел, Медоев внезапно замолчал, будто выключенный, в трубке что-то вкрадчиво и мягко прошуршало, а потом чья-то спокойная невидимая рука нажала на кнопку отбоя.

В Москве можно застрять в пробке даже в начале одиннадцатого ночи, но Хрипунову повезло: он доехал до медоевского агентства, не сбив ни одного ночного бродягу и ни разу не застряв ни на одном светофоре. Впрочем, ни одного светофора, кажется, и не было. В особнячке уютно желтели огромные окна, когда-то здесь обитало степенное купеческое семейство: супруг, супруга, три доспевающие дочки, причем за нежную и прелестную ножку каждой запросто могли спрятаться сразу две худосочные медоевские модели. По утрам — чай из самовара, варенье из райских яблочек, солнечных и прозрачных насквозь, как шары на рождественской елке.

Хрипунов нажал кнопку домофона, послушал, как переливается в пустом холле праздничная трель. Подождал. И аккуратно толкнул плечом тяжелую незапертую дверь. Охранник в черной мягкой форме валялся на мраморном полу, неловко вывернув ногу в тяжелом ботинке. Хрипунов присел на корточки, поискал на толстой безжизненной шее ртутную бусину пульса, покачал сочувственно головой. Круглые сутки торчать среди вертлявых хорошеньких шлюх и не быть при этом ни гомиком, ни импотентом. Тяжелая служба.

Кабинет Медоева был распахнут и пуст, потому что самого Медоева, уронившего лысоватую голову на наполеоновский стол, в расчет уже можно было не принимать, он был безнадежно мертв, и даже причудливые рыбки в гигантском, на полстены, аквариуме, плавали кверху бледными брюшками — забава для начинающих карьеру девочек, уловка стареющего ловеласа: посмотри, что у меня есть, дочка, вау, как прикольно, оп, и маленькие прозрачные трусики уже зажаты в кулаке, а дочка старательно, как в кино, стонет, оттопырив голый недоразвитый задик и краем глаза увлеченно наблюдая за блескучими хвостиками и плавниками в зеленоватой, кудрявой воде.

Хрипунов приподнял тяжелую мертвую голову Медоева, посмотрел в передернутое, как затвор, заклинившее лицо. Я же просил тебя, Арсен. Просил. Что ты ей сказал? Что ты сам вообще знал, а? Голова с негромким твердым стуком подпрыгнула на столешнице, Хрипунов огляделся, подобрал с пола черную контактную линзу, огромную, во весь глаз. Из магазина смешных ужасов. Бывают белые, желтые, налившиеся кровью. Очень смешно, Анна. Очень. Прямо до смерти.

Уезжать было глупо, все равно найдут через пару часов — уж лучше сразу отмучиться со всеми формальностями, тем более что он ни в чем не виноват: по медоевским губам даже стажеру видно, что причиной смерти послужила острая сердечная недостаточность, или, если выражаться красиво, разрыв сердца. Ни за что в жизни не поверил бы, что у тебя тоже есть сердце, Арсен.

Хрипунов достал из кармана мобильный, спокойно вызвал скорую, следом — милицию и, опустившись в низкое кресло, почти с наслаждением вытянул ноги и закурил. Что за день, господи! Надеюсь, она тут не слишком наследила. И все-таки поехала домой.

На беседы и протоколы ушло еще часа три, так что домой Хрипунов вернулся уже ближе к утру, наполненный звонкой, молодой, совершенно студенческой усталостью, будто после ночного дежурства, и впереди вся жизнь, и самое главное — пара часов суматошного, голодного, чуткого, головокружительного сна. Анна сидела в прихожей, прямо на полу, скукоженная, жалкая, в каком-то немыслимом и незнакомом — сплошь лунные голографические блестки — платье. Хрипунов постоял над ней, неторопливо раскачиваясь с пятки на носок, подумал, а потом резко, как мертвому Медоеву, задрал ей лицо, все наискось перетянутое скотчем, грязное, неузнаваемо распухшее от слез. Скотч кое-где отклеился, повис, от улыбки, убившей Арсена, не осталось и следа. Хрипунов тремя рывками содрал с ее лица липкую прозрачную ленту, она только пискнула от боли и зажмурилась, один глаз все еще черный, дура, дура, ДУРА!!! От пощечин голова ее болталась из стороны в сторону, как кукольная; бить сверху было неудобно, и Хрипунов сел рядом с ней прямо на пол, но так было еще неудобнее, потому что Анна немедленно подползла к нему, скуля, уткнулась разбитым носом под мышку, прижалась, как щенок, как батон в детстве из булочной, теплый, вздыхающий, за тринадцать копеек. "Ты что со мной сделал? — пыталась выговорить она, икая и задыхаясь. — Кто я, скажи, кто? Я человек? Человек?"

*Держатель медицинский для захвата и удержания труб-
чатых костей — мощный с винтом. Для захватывания
и удерживания ребер мощный. Держатель Пилоруса детский*

Ч
асам к пяти утра она умаялась от крика
и слез так, что заснула прямо в кабинете, на смуглом кожаном диване — до
чего дебильная штуковина, сидеть лип-
ко, спать жарко, да господи, есть ли
в этом доме хоть одна вещь, которая нужна ему на
самом деле? Есть.

Хрипунов потер саднящий лоб и пошел к себе
в спальню — опять сквозь всю нескончаемую квартиру, обмершую после долгой ссоры, словно опроки-
нутый жук на человеческой ладони. Свет так и горел
везде, еще с вечера — едкий, неживой, разбавлен-
ный наступившим рассветом. Как будто кто-то пы-

тался понизить концентрацию ночи. Больно будет ровно одну секунду. Я знаю. Ровно одну секунду. А потом наступит покой.

Хрипунов открыл огромный шкаф, набитый никому не интересной одеждой, запустил пальцы в твид, лен и кашемир, нашарил крошечную кнопку, до которой не дотянется ни трудолюбивая тряпка, ни случайная рука. Тихонько щелкнул хитрый механизм, и — внимание! — не в шкафу, а на стене около зеркала отъехал в сторону скромный умиротворяющий ландшафтик, обнажил впаянную в кладку дверцу небольшого сейфа — молодцы швейцарцы, такое придумать, это вам не сыр и не шоколад. Хрипунов набрал код. "Первым делом, парень, заведи как можно больше хороших нычек, — негромко посоветовал Клоун, — грамотный схрон не одну жизнь спас, и не жадничай, да ты и не жадный, это хорошо, деньги к таким так и липнут, эх, и заживем же мы с тобой, Аркашка, лет через пять!" "Главное, Аркадий, непрерывно развиваться, — тотчас откликнулся дядя Саша, — хороший хирург никогда не перестает учиться. И ошибаться. У вас должны быть навыки патологоанатома. Микробиолога. Химика, наконец". А отец сказал — пшел вон, выродок! И Хрипунов взял большую бутылку темного химического стекла и пошел — из тумбочки взял, обычной прикроватной тумбочки, потому что не было у него никакого сейфа, никаких кнопок, никакого шкафа, вот только плед еще не забыть, и надо бы поспать потом хоть часочек, когда я вообще в последний раз спал?

Щипцы клещевидные для орбитотомии с нарезкой. Щип-
цы-кусачки реберные. Щипцы геморроидальные окончa-
тые прямые. Щипцы-кусачки костные с круглыми губкa-
ми. Щипцы кишечные окончатые для детей

Анна спала, как спят набегавшиеся дети или щенки — перепутав вздраги-
вающие напряженные лапы, халатик
задрался дальше некуда, на бледных бедрах беспокойные мурашки. "Чш-ш-ш, —
пробормотал Хрипунов, осторожно укрывая ее таким
же бледным пледом, — спи давай, уже август, под
утро совсем прохладно, через десять дней мне испол-
нится сорок лет, и ничего не получилось, но я еще все
переделаю, вот посмотришь, все будет по-другому,
никто не смог бы сделать тебя с первого раза. Я просто ошибся. Но это не страшно. Ты даже не проснешь-
ся, вот увидишь. Все будет хорошо".

Он постоял еще немного над диваном, разглядывая собственные руки — крепкие фаланги честного ремесленника, поперек левой ладони тонкий белесый шнурок старого шрама. Потом открыл флакон и вдохнул дымный маслянистый запах. Кислота сотрет ткани, время исправит все ошибки. Анна вздохнула во сне, на щеках грязные отпечатки сорванного скотча, прозрачные веки напухли от слез, будто глицериновые. У нее слабое сердце, анестезиолог робко возражал против второй операции, жирное животное; Хрипунов провел четыре, с минимальным допустимым интервалом, но, Аркадий Владимирович, позвольте, я не возьму на себя такой ответственности... А я и не прошу вас ничего брать. Просто делайте свою работу. Как его зовут-то все-таки? А-а-а... Илларион Гаврилович... Скороговорка для заик.

Она умрет раньше, чем поймет, что случилось. А я сделаю новую.

Анна лежала на боку, почти уткнувшись носом в скрипучий кожаный подлокотник, надо было подушку прихватить, тебе же неудобно, эй, ребенок, и мне неудобно, давай-ка подвинемся немножко, вот так. Хрипунов мягко, одной рукой повернул ее лицом к себе, привычно перехватило дух — господи, сколько гармонии, какая идеальная лепка...

Утром в новостях скажут, скольких ты убила этой ночью. А может, и не скажут. У Медоева ведь просто остановилось сердце. Будем надеяться, что от счастья. А у рыбок? Чем тебе помешали рыбки, Анна? Ты же могла принести в мир абсолютный покой. Я мог принести. Не донес.

— Давай заведем котенка, — пробормотала она, не просыпаясь, и, не просыпаясь же, попыталась улыбнуться; на нежной щеке — нежный рубец, отпечаток мертвой свиной кожи, сшитой маленькими руками проворных тайцев, она все позабыла, мама говорила — заспала, а кем была мамина мама, а мама маминой мамы? Откуда я вообще взялся, такой выродок, ей больше нельзя улыбаться, она не имеет на это права, никто не имеет на это права. Только я.

Когда тело последний раз конвульсивно дернулось и затихло, в кабинет, пару секунд для приличия помешкав за дверью, мягко скользнул ангел-хранитель, все тот же коротконогий сутулый азиат, тридцать девять с лишним лет назад принявший на свет новорожденного Хрипунова. Кабинет был абсолютно пуст — только тяжелые книжные шкафы да тяжелый запах. И кокон на сияющем медовым лаком паркетном полу — пустая неподвижная оболочка с черным, дымящимся, изуродованным лицом.

Ангел машинально посмотрел в верхний левый угол — там, где под самым потолком, в нимбе никем не примеченной пыли и паутины, должна была беззвучно метаться ошарашенная, помутневшая от страха, полукруглая, стремительная душа, никого не было.

Никого.

Ангел, тихо хрустнув мелодичными шейными позвонками, огляделся.

Пусто.

Все правильно. Все так и должно быть.

Он подобрал с пола прохладную телефонную трубку, несколько раз щелкнул пластиковыми кнопками и, устало смежив вежды и привалившись слабо мерцающим затылком к стене, замер, ожидая соединения.

Наконец в трубке далеко, но отчетливо щелкнуло, и ангел, не открывая глаз, тихо доложил:

— Он умер.

— Кто? — не расслышали с той стороны.

— Он, — повторил ангел, и зрачки его прямо сквозь полупрозрачные, рисовые, бледные веки полыхнули тусклым, багровым, нестерпимо концентрированным светом. — Он. Хирург.

И едва слышно прибавил:

— Бог.

Литературно-художественное издание

Марина
Степнова
Хирург

Роман

Содержит нецензурную брань

Главный редактор Елена Шубина

Редактор Вероника Дмитриева

Младший редактор Анастасия Бугайчук

Художественный редактор Константин Парсаданян

Корректор Елена Рудницкая

Компьютерная верстка Елены Илюшиной

 http://facebook.com/shubinabooks

 http://vk.com/shubinabooks

Подписано в печать 07.09.2021 г. Формат 84x108/32.
Печать офсетная. Усл. печ. л. 16,8.
Доп. тираж 3000 экз. Заказ № 4358.

Отпечатано с электронных носителей издательства.
ОАО "Тверской полиграфический комбинат",
170024, Россия, г. Тверь, пр-т Ленина, 5.
Телефон: (4822) 44-52-03, 44-50-34, Телефон/факс :(4822) 44-42-15
Home page - www.tverpk.ru Электронная почта (E-mail) - sales@tverpk.ru

Общероссийский классификатор продукции
ОК-034-2014 (КПЕС 2008); 58.11.1 — книги, брошюры печатные

Произведено в Российской Федерации
Изготовлено в 2021 г.

ООО "Издательство АСТ"
129085, г. Москва, Звёздный бульвар, дом 21, строение 1, комната 705, пом. 1, 7 этаж
Наш электронный адрес: www.ast.ru
E-mail: ask@ast.ru
Интернет-магазин: www.book24.ru

"Баспа Аста" деген ООО
129085, Мәскеу қ., Звёздный бульвары, 21-үй, 1-құрылыс, 705-бөлме, 1 жай, 7-қабат

Біздің электрондық мекенжайымыз: www.ast.ru
E-mail: astpub@aha.ru
Интернет-магазин: www.book24.kz
Интернет-дүкен: www.book24.kz
Импортёр в Республику Казахстан ТОО "РДЦ-Алматы".
Қазақстан Республик сындағы импорттаушы "РДЦ-Алматы" ЖШС.
Дистрибьютор и представитель по приему претензий на продукцию в Республике Казахстан:
ТОО "РДЦ-Алматы"

Қазақстан Республикасында дистрибьютор және өнім
бойынша арыз-талаптардықабылдаушыныңөкілі
"РДЦ-Алматы" ЖШС, Алматы қ., Домбровский көш., 3 "а", литер Б, офис 1.
Тел.: +8(727) 2515989, 90, 91, 92, факс: +8(727) 2515812, доб. 107
E-mail: RDC-Almaty@eksmo.kz
Өнімнің жарамдылық мерзімі шектелмеген.

Өндірген мемлекет: Ресей